Джеймс Паттерсон
Майкл Ледвидж

Джеймс Паттерсон
Майкл Ледвидж

ГОНКА НА ВЫЖИВАНИЕ

АСТ

москва

УДК 821.111(73)
ББК 84 (7Сое)
П20

James Patterson & Michael Ledwidge
RUN FOR YOUR LIFE

Перевод с английского Д.В. Вознякевича

Компьютерный дизайн Г.В. Смирновой

Печатается с разрешения издательства Little,
Brown and Company, New York, New York, USA.

Паттерсон, Джеймс

П20   Гонка на выживание : [роман] / Джеймс Паттерсон,
Майкл Ледвидж; пер. с англ. Д.В. Вознякевича. —
Москва: АСТ, 2014. — 316, [4] с.

ISBN 978-5-17-079361-7

Этот преступник называет себя Учителем. И он намерен преподать
урок всем жителям Нью-Йорка. Он убивает, заявляя, что выполняет
высшую миссию — избавляет город от богачей, кичащихся огромными
деньгами и положением в обществе.

Но какое отношение к ним имели другие жертвы — юная пассажир-
ка метро, продавец из дорогого магазина, метрдотель элитного клуба,
стюардесса?

Детектив Майкл Беннетт, которому поручено это сложное дело,
убежден: убийца преследует какую-то иную цель и она далека от его
громких заявлений.

В ходе расследования Беннетт подбирается к Учителю все ближе,
но вскоре погибают двое его коллег-полицейских, и он понимает, что
смертельная опасность грозит и ему самому...

УДК 821.111(73)
ББК 84 (7Сое)

Посвящается Кэти,
Эйлин и Джин

ПРОЛОГ
БОРИТЕСЬ С ВЛАСТЬЮ!

1

Долгое пребывание в нью-йоркском автобусе, даже в нормальных обстоятельствах, заканчивается разочарованием.

Но когда этот автобус принадлежит оперативной группе полицейского управления, стоит у заполненной полицейскими баррикады и ты находишься там, потому что больше никто на свете не может спасти заложников от смерти, о планах на ужин нужно забыть.

Вечером в тот понедельник я никуда не попал. И, что гораздо хуже, ничего не добился.

— Беннетт, где мои деньги? — раздался в гарнитуре сердитый голос.

Я слышал его уже семь с половиной часов. Он принадлежал девятнадцатилетнему гангстеру-убийце, известному как Ди-Рэй — на самом деле его звали Кеннет Робинсон, — основному подозреваемому в убийстве трех наркоторговцев. Собственно, он был единственным подозреваемым. Когда за ним приехали полицейские, он укрылся в гарлемском особняке, теперь обнесенном полицейскими баррикадами, и грозился убить пятерых членов своей семьи.

— Деньги в дороге, Ди-Рэй, — мягко сказал я через гарнитуру. — Я уже говорил тебе, что отправил Уэллса Фарго за бронеавтомобилем из Бруклина. Сто тысяч долларов в немеченых двадцатках лежат на переднем сиденье.

— Ты все время это твердишь, но я не вижу никакого бронеавтомобиля!

— Это не так просто, как кажется, — солгал я. — Бронеавтомобили ездят по банковскому графику. Их нельзя вызывать, как такси. Да и таких денег они не возят — чтобы их получить, требуется сложная процедура. И они застревают в пробках, как все машины.

Ситуации с заложниками требуют невозмутимости, и я неплохо притворяюсь спокойным. Не будь вокруг десятка полицейских, можно было бы подумать, что я выслушивающий исповедь священник.

На самом деле бронеавтомобиль Уэллса Фарго приехал два часа назад и стоял поблизости в укрытии. Я всеми силами старался удерживать его там. Проедь он несколько последних кварталов, и я потерпел бы неудачу.

— Шутишь? — рявкнул Ди-Рэй. — Не играй со мной, фараон. Думаешь, я не знаю, что меня ждет пожизненный приговор? Что мне нечего терять, если убью еще кого-то?

— Я знаю, что у тебя серьезные намерения, Ди-Рэй, — сказал я. — И я не шучу — мне этого совершенно не хочется. Деньги в пути. Может, тебе пока чего-нибудь нужно? Пиццу, газировку с сиропом? Слушай, там, должно быть, жарко, как насчет мороженого для твоих племянника и племянницы?

— Мороженого?! — выкрикнул он с такой яростью, что я содрогнулся. — Лучше делай свое дело, Беннетт! Если я через пять минут не увижу бронеавтомобиля, ты получишь труп.

Связь прекратилась. Утерев пот с лица, я снял ушную гарнитуру и подошел к окну полицейского автобуса. Из него был хорошо виден особняк Ди-Рэя на Сто тридцать первой улице, неподалеку от бульвара Фредерика Дугласа. Я поднял бинокль, навел его на кухонное окно и сглотнул, увидев на холодильнике магнитную держалку с детскими рисунками и портретом Майи Анжелу. Его племяннице было шесть лет, племяннику восемь. Моим детям столько же.

Поначалу я надеялся, что ситуация окажется проще, поскольку заложники были ему родными. Многие преступники устраивают такой отчаянный блеф, но сдаются, не причинив вреда близким, особенно малышам. Бабушка Ди-Рэя, восьмидесятитрехлетняя мисс Кэрол, находившаяся вместе с ними в доме, была влиятельной, уважаемой женщиной и руководила рекреационным центром и местным парком. Если кто и мог его остановить, так именно она.

Но этого не случилось, что было скверным признаком. Ди-Рэй уже доказал свою готовность убивать, и, разговаривая с ним в течение нескольких часов, я чувствовал, что ярость его нарастает, а самоконтроль слабеет. Он явно принимал крэк, метедрин или что-то еще и уже почти обезумел. Лелеял фантазию побега и готов был ради нее убивать.

Я помог ему создать эту фантазию и поддерживал ее всеми известными мне уловками, чтобы вызволить заложников живыми, — воскрешал родственные узы, сочувствовал и даже назвал ему свою фамилию. Но мои уловки и время себя исчерпали.

Я опустил бинокль и осмотрел площадку перед автобусом. За баррикадами и мигалками полицейских машин теснились передвижные телестанции и шестьдесят — семьдесят зрителей. Люди жевали бутерброды и снимали происходящее на сотовые. Дети школьного возраста носились на скутерах. Толпа казалась беспокойной, раздраженной, словно участники пикника, разочарованные долгим отсутствием фейерверка.

Я отвернулся от них, когда Джо Хант, начальник полиции Северного Манхэттена, откинулся на спинку стула и тяжело вздохнул:

— Только что получил сообщение группы особого реагирования, — сказал он. — Снайперы считают, что нашли хороший прицел через одно из задних окон.

Я промолчал, но Джо знал, о чем я думаю, и посмотрел на меня усталыми карими глазами.

— Хоть там и дети, — продолжал он, — мы имеем дело с ожесточенным социопатом. Нужно привлечь опергруппу, пока у этих несчастных в доме еще есть какой-то шанс. Я вызываю бронеавтомобиль Уэллса Фарго. Свяжись с Ди-Рэем по телефону, скажи, пусть ждет. Потом компания «Консолидейтед Эдисон» выключит свет, и снайперы ликвидируют его с помощью прицелов ночного видения.

Джо поднялся на ноги и сильно хлопнул меня по плечу.

— Майк, извини. Ты превзошел сам себя, но этот парень наотрез отказывается жить.

Я пригладил волосы, потер глаза. Нью-Йорк стоит на одном из первых мест в мире по бескровному улаживанию ситуаций с заложниками, и мне очень не хотелось нарушать эту превосходную традицию. Но спорить с Хантом я не мог — Ди-Рэй даже не пытался помочь собственному спасению.

Осознав свое поражение, я кивнул. Теперь следовало думать о его семье. Ничего другого не оставалось.

Я слушал, как Джо Хант вызывает бронеавтомобиль и приказывает ехать к нам. Когда он покажется, я заговорю с Ди-Рэем в последний раз.

А пока мы вышли из автобуса подышать свежим воздухом.

2

На улице я услышал скандирование другой толпы — в дальнем конце квартала, перед строящимся домом на бульваре Фредерика Дугласа.

Через секунду я разобрал слова: «Боритесь с властью!»

Мы с Хантом недоуменно переглянулись. Полицейские находились здесь, чтобы спасти от смерти их друзей и соседей — в том числе двух маленьких детей и любимую всеми мисс Кэрол — и были плохими людьми? Этому району требовались новые образцы для подражания.

«Боритесь с властью! Боритесь с властью!»

Я слушал этот рев, беспокойно ища взглядом бронеавтомобиль, и с горечью думал: «Новые образцы для подражания!»

И вдруг две эти фразы соединились.

— Шеф, останови бронеавтомобиль! — заорал я Ханту. Бросился обратно в автобус, схватил ушную гарнитуру и кивнул технику, чтобы тот соединил меня с особняком.

— Ди-Рэй, это Майк Беннетт!

— Фараон, у тебя две минуты!

Он прямо-таки кипел от возбуждения.

— Будет тебе, — сказал я. — Послушай-ка толпу снаружи. Ты их герой. Они болеют за себя.

— Беннетт, что за чушь ты несешь?

— Это не чушь, Ди-Рэй. Открой окно и послушай. Думаешь, что теперь тебе незачем жить, но ты ошибаешься.

Полицейские и техники в автобусе прекратили свои занятия и смотрели на особняк. Через долгие тридцать секунд одна из оконных рам поднялась на несколько дюймов. Ди-Рэя мы не видели — он находился сбоку от окна или под ним.

— Слышишь? — сказал я через ушную гарнитуру. — «Боритесь с властью». Они обращаются к тебе, Ди-Рэй. Считают тебя вредным парнем, поскольку ты нас задерживаешь. А знаешь, что мне только что сказала подруга твоей бабушки? Ты здорово помог этому району, убрав парней Дрю с их буйством и торговлей наркотиками. Люди ненавидели их, боялись, а ты уничтожил.

— Ох, приятель! Ты серьезно?

Ди-Рэй впервые заговорил как испуганный, растерянный девятнадцатилетний парень.

— Совершенно серьезно и полностью согласен с ними, — ответил я. Еще одна наглая ложь, но я бы посулил ему Бруклинский мост и мост Джорджа Вашингтона в придачу, помоги это сберечь жизни.

Теперь находившиеся в автобусе неотрывно смотрели на меня. Я утер рукавом пот с лица и пошел на очередной риск:

— Сейчас, Ди-Рэй, у тебя два пути. Можешь удерживать заложников и попытаться скрыться с деньгами. Но далеко тебе не уйти, и ты это знаешь. Возможно, ты будешь убит, и твоя бабушка с малышами тоже. Или поступишь как герой, которым считают тебя эти люди, и всех отпустишь.

Мне показалось, что сердце у меня остановилось, да и время тоже, когда Ди-Рэй внезапно прервал связь.

— Ди-Рэй! — закричал я. — Ди-Рэй, вернись, черт возьми!

Линия молчала. Я сорвал ушную гарнитуру и бросился из жаркого, ярко освещенного автобуса в прохладную темноту улицы.

3

Я побежал к баррикаде перед особняком и замер, услышав гулкий хлопок выстрела изнутри и отвратительный глухой стук упавшего тела. Люди в обоих концах квартала притихли, словно ощутив трагизм момента.

Дверь на крыльцо медленно открылась и я увидел крупную старую женщину. Это была бабушка Ди-Рэя, мисс Кэрол, и она шла сама! Еще двое взрослых — двоюродная бабушка и двоюродный дедушка Ди-Рэя — показались по бокам от нее, а сзади я с трудом разглядел маленькие фигурки племянника и племянницы. Моя уловка сработала — все были живы, и он их выпустил!

Дыхание перехватило. Я с трудом втянул воздух. Но моя радость сменилась изумлением, когда я понял, что все они сцепили руки, образовав круг.

Они превратили себя в живой щит — Ди-Рэй, согнувшись, шел в центре.

— Не стреляйте в моего внучка! — пронзительно выкрикнула мисс Кэрол в наступившей внезапно тишине.

Невероятно — даже больше чем возвеличивание Ди-Рэя! Заложники, как ни странно, защищали его. Сперва безумные образцы для подражания, а теперь вдвойне безумный стокгольмский синдром.

Я жестом велел Ханту остановить снайперов на крыше, надел ушную гарнитуру и побежал к людям, спускающимся по ступеням особняка.

— Ди-Рэй, это я, Майк Беннетт! Ты правильно поступаешь, Ди-Рэй. Все будут гордиться тобой. Но пусть твоя семья отойдет в сторону.

— Не причиняйте ему вреда! — снова крикнула мисс Кэрол. Я видел, что в ее глазах блестят слезы.

— Я его не трону, даю слово. — Я поднял руки, показывая, что в них ничего нет, и сделал предостерегающий жест нервозным полицейским. — Ди-Рэй, если у тебя есть оружие, брось его на землю! — Я добавил в голос чуть больше властности. — С тобой ничего не случится, не беспокойся.

Повисла пауза, казавшаяся бесконечной, и большой серый пистолет, вылетев из человеческого круга, со стуком упал на тротуар. Похоже, это был «глок» сорокового или сорок пятого калибра с обоймой, вмещающей десять — тринадцать патронов — хранилище смерти чуть меньше книжки карманной серии.

— Молодчина, Ди-Рэй, — сказал я. — Сейчас мы вместе пойдем к машине.

Мисс Кэрол и остальные расцепили руки и посторонились, открыв взгляду коренастого молодого человека в спортивных шортах ниже колен и бейсболке, повернутой набок. Я перешагнул через баррикаду и пошел к нему.

Потом раздался жуткий звук, от которого я едва не подпрыгнул: гром выстрела позади меня.

Ди-Рэй, словно спиленное дерево, повалился в канаву на глазах замершей в ужасе семьи.

В следующее мгновение все изменилось. Полицейские побежали, держа оружие наготове, в толпе началась паника.

— Прекратить огонь! — крикнул я, толкнул мисс Кэрол к остальным, от чего все попадали, как кости домино, и пополз на коленях к Ди-Рэю.

Но помочь ему было уже нельзя. Из огнестрельной раны между открытых глаз текла кровь.

— Это не мы, Майк! Не поднимайся! — прокричал через ушную гарнитуру лейтенант Стив Рено, из отряда спецназа.

— Тогда кто? — крикнул я.

— Мы думаем, стреляли из толпы возле бульвара. Посылаем туда команду.

«Снайпер в толпе — не полицейский? Черт возьми! Что происходит?»

— Давай сюда спецназ, — сказал я Рено по радиотелефону и поднялся. Я знал, что Рено прав, и снайпер мог искать новую цель, но не лежать же, когда вокруг бурлит хаос!

Но ситуация уже переменилась. Толпа видела, как Ди-Рэй упал, и решила, что его застрелили полицейские. Эти люди становились опасными, лезли на баррикаду с искаженными яростью лицами. Полицейские уже вставали в шеренгу, чтобы удержать их.

— Они убили этого парня! Они убийцы! — пронзительно кричала какая-то женщина.

Напор толпы нарастал. Я увидел, как упала женщина-полицейский и сослуживцы подскочили к ней, чтобы унести в безопасное место, а другие заслонили их, угрожающе размахивая дубинками. Две полицейские машины, оглушительно завывая сиренами, въехали на тротуар, преграждая путь быстро растущей буйной толпе, надвигающейся на нас.

Я следил за ней и оглядывал крыши, опасаясь новой стрельбы. Но тут что-то похожее на бейсбольную биту ударило меня по затылку.

— Лживая свинья, ты убил моего внучка! — выкрикнула мисс Кэрол и очень быстро для женщины ее сложения и возраста ударила в грудь, от чего у меня перехватило дыхание.

— Это не мы! — прохрипел я, но она уже замахнулась для нового удара, от которого я потерял бы сознание. Я сумел уклониться, но чахлый двоюродный дедушка Ди-Рэя ухватил меня за лацканы пиджака и попытался садануть головой. Едва я оторвал его руки, как столь же хрупкая на вид его жена огрела меня по плечам тростью. Мне нередко приходилось терпеть побои, но столь экзотические — впервые.

Торопливо отступая, я осознал, что телекамеры направлены уже не на толпу, а на атакующих меня старцев. Они еще больше воспламенили толпу, и люди с обоих концов квартала начали сносить баррикаду и перепрыгивать через капоты патрульных автомобилей. Двое полицейских в форме пришли мне на выручку, оттеснив атакующих в сторону, Джо Хант схватил меня за руку и потащил к автобусу оперативной группы.

— Вызовите подкрепление! — кричал он. — Пусть двадцать пятый участок, двадцать шестой и тридцатый едут сюда. Все, и как можно быстрее!

Вдали я услышал завывание сирен спешившего к нам подкрепления.

ЧАСТЬ ПЕРВАЯ

УЧИТЕЛЬ

Глава первая

Когда меня в конце концов вывез из Гарлема патрульный, которому я в свое время оказал услугу, шел уже третий час ночи.

Мы пробирались через лабиринт осветительных установок передвижных телестанций со спутниковыми антеннами, баррикад и сдерживающих толпу конных полицейских, и у нас по-прежнему не было ни малейшего представления, кто убил Ди-Рэя.

Любые приведшие к смерти обстоятельства отвратительны, но этот странный выстрел представлял собой наихудший кошмар для полицейского управления. Сколько бы улик ни свидетельствовало, что полиция здесь ни при чем, мы все равно бы выглядели виноватыми. У подстрекателей, теоретиков заговора и их многочисленных друзей в нью-йоркских средствах массовой информации был знаменательный день.

Уже этого достаточно, чтобы принимать успокоительное, так утром, ко всему прочему, предстояло писать целую гору объяснений, донесений и прочих бумаг. Уж лучше бы меня еще раз ударила тростью двоюродная бабушка Ди-Рэя.

Когда полицейский высадил меня у моего дома на Уэст-Энд-авеню, я так устал от нерешенных проблем и беспокойства о предстоящих делах, что с трудом ковылял к двери. Я мечтал о нескольких часах спокойного сна, как человек, долго тащившийся по пустыне, мечтает об оазисе.

Но этот оазис оказался миражом. Моему замечательному консьержу — доминиканцу Ральфу явно не понравилось, что я его разбудил. Я ему симпатизировал, но был не в том настроении, чтобы обращать внимание на подобные мелочи, и взглядом дал ему это понять.

— Ральф, захочешь сменить работу — обратись ко мне, — сказал я.

Он виновато потупился.

— Тяжелая ночь, мистер Беннетт?

— Прочтешь завтра в «Таймс».

Когда я наконец поднялся в свою темную квартиру, мелки и краски фирмы «Кайола» и обломки игрушек «Поли покет», захрустевшие под ногами, обрадовали меня. Из последних сил я запер служебный пистолет с патронами в оружейный сейф, находящийся в передней, и, совершенно выдохшийся, рухнул на один из высоких табуретов в кухне.

Будь моя жена, Мейв, жива, она подала бы мне холодный «Будвайзер» с чем-нибудь замечательно поджаренным — куриными крылышками или чизбургером на беконе. С дарованной небом мудростью жены полицейского она знала, что единственной панацеей от мрачной реальности улиц служит еда, холодное пиво, душ и постель с ее теплотой рядом.

С обостренной ясностью я осознал, что она была не только моей любовью, но и опорой в жизни. В такие ночи, как эта, очень скверные, она слушала часами, если я говорил, и понимала меня без слов, когда говорить не мог.

Тогда мне больше всего на свете хотелось ощутить пальцы Мейв, гладящие меня по затылку, и услышать от нее, что я сделал все возможное. Что иногда мы бессильны. Я обнял бы ее, и очарование Мейв помогло бы мне забыть все сомнения и тревоги.

Мейв скончалась почти год назад, и я до сих пор не могу совладать с этим и тоскую все больше.

Однажды я присутствовал на похоронах убитого и слышал, как его мать цитировала строки Эдны Сент-Винсент Миллей. В последнее время они звучат у меня в ушах, словно песня, которую невозможно выбросить из головы:

«Тихо уходят красивые, нежные, добрые...

Я все понимаю, но не могу с этим смириться».

«Не знаю, Мейв, сколько еще сумею без тебя прожить», — подумал я, роняя голову на руки.

И резко выпрямился, вляпавшись во что-то липкое на кухонном столе — виноградное желе измазало не только ладонь, но и рукав пиджака.

«Жизнь без тебя не единственная моя беда, — сказал я Мейв, поднялся и стал искать бумажное полотенце. — Разве я могу ухаживать за детьми так, как это делала ты?»

Глава вторая

На домашнем фронте я совершенно безнадежен. Не смог даже найти бумажного полотенца. Смыл желе водой, как сумел, и повесил пиджак в чулан к другой одежде, ждавшей химчистки. Зато когда заглянул в холодильник, мне улыбнулась удача. На полке стояла обернутая пленкой тарелка макарон с фаршем, и под пакетами концентрированного сока я нашел баночку светлого пива «Куэрс». Включил микроволновку и только стал открывать пиво, как из темной квартиры послышался жуткий звук — утробный стон, сменившийся долгим, противным плеском. Затем он повторился, только в другой тональности.

Я медленно поставил нетронутое пиво, и, хотя не понимал природы этих звуков, интуиция предупредила меня об опасности, от которой любой нормальный человек побежал бы что есть духу.

Вопреки здравому смыслу я медленно пошел по коридору и, заглянув за угол, увидел полоску света под дверью ванной. Осторожно приблизившись, я медленно повернул шарообразную ручку.

И замер, охваченный ужасом. Интуиция меня не обманула. Нужно было бежать, пока еще не поздно.

Не одного, не двоих, а троих моих детей выворачивало в ванну. При взгляде на эту троицу в памяти всплывали кадры из фильма «Изгоняющий дьявола». Я попятился, когда Рикки, Бриджет и Крисси снова стало выворачивать, казалось, они хотели погасить рвотой бивачный костер. Представьте себе Везувий, Кракатау и Сент-Хеленс, извергающиеся одновременно.

Я глубоко вздохнул, и желудок скрутило. Хорошо, что у меня не было возможности перекусить во время гарлемской осады или приняться за макароны. Иначе я бы точно к ним присоединился.

Моя няня-ирландка, Мэри Кэтрин, энергично смывала рвоту, золотистые завитки волос выбивались из-под красной косынки. Она благоразумно надела резиновые перчатки до локтя и прикрыла рот платком, но я видел по ее глазам — обычно ярко-голубым, но теперь затуманенным, поблекшим, — что она устала не меньше меня.

Мэри Кэтрин приветственно махнула мне рукой и сказала с забавным ирландским акцентом:

— Майк, помнишь, утром я сказала тебе, что Крисси слегка позеленела?

Я молча кивнул, все еще пытаясь осмыслить ситуацию.

— Думаю, это грипп, который гуляет по школе, — продолжила Мэри Кэтрин. — Покайся, поскольку это бедствие свалилось на нас.

Я торжественно перекрестился, пытаясь поддержать ее шутку, чтобы слегка поднять настроение нам обоим. Но мне было не до смеха. Ведь это действительно бедствие.

— Мэри, теперь мой черед. — Я взял у нее швабру. — Твоя смена закончилась.

— Ничего подобного, — возмутилась она. — Тайленол в шкафчике над раковиной, но у нас кончается сироп от кашля и...

— И достаточно, — сказал я, указывая на лестницу, ведущую в ее квартиру, в прошлом жилище служанки. — Больше пациентов мне не нужно.

— Да? А ты заболеть не боишься? — Она сложила руки хорошо мне знакомым упрямым жестом. — Потому что ты сильный, выносливый полицейский?

Я вздохнул:

— Нет — потому что болеть мне некогда. Ложись спать, а утром сменишь меня, ладно?

Она заколебалась, потом устало улыбнулась своей милой улыбкой.

— Тебе никого не одурачить, — сказала Мэри Кэтрин. — Но будь по-твоему.

Глава третья

Когда за Мэри Кэтрин закрылась дверь, я застонал вместе с детьми.

Нельзя сказать, что я не люблю детей. Очень люблю. Но мой выводок потряс бы врачей, работавших с матерью Терезой.

Каков же состав этой команды Беннетта? Джулиана тринадцати лет, Брайан двенадцати, Джейн одиннадцати, Рикки десяти, Эдди девяти; близнецы Фиона и Бриджет восьми, Трент шести, Шона пяти и Крисси четырех. Всего их десять: два латиноамериканца, два негра, один азиат, остальные белые. Все приемные. Понимаю, это впечатляет. Немногие семьи могут выставить мультикультурную бейсбольную команду и запасного игрока.

Изначально это была идея Мейв. Мы начали брать «беспризорных ангелочков», как она именовала нашу компанию, задолго до Брэда Питта и Анджелины Джолли. Могли ли мы предвидеть кошмар ее смерти от рака в тридцать восемь лет?

Слава Богу, я был не совсем один. Мэри Кэтрин появилась, словно дар небес, когда Мейв умирала, и по какой-то непостижимой причине до сих пор не убежала с воплями. Мой капризный, ставший священником дед Симус был пастором церкви Святого Духа, находящейся за углом. Он выпросил эту работу, чтобы помогать мне с детьми и осуждать меня, но его осуждение было скромной платой за помощь.

Вот только ухаживать за моими малышами не представлялось возможным, даже когда их мать была жива, а они — совершенно здоровы. Что, например, делать с квартирой, превращенной в детскую больничную палату?

Тысячи проблем ринулись в мою измученную голову. Как отвести здоровых детей в школу? Как доставить больных к врачу? Сколько дней отпуска по болезни у меня осталось? Заплатил я в этом месяце взнос по медицинской страховке? И как быть с пропущенными занятиями? В моем сознании замаячил образ волевой, педантичной директрисы, сестры Шейлы.

Я провел ладонью по лбу и глубоко вздохнул. Напомнил себе, что являюсь специалистом по решению проблем. Могу справиться и с этой. Она была временной — тяжелой, слов нет, но недолгой. Как в любой опасной ситуации хуже всего запаниковать.

Я склонился над Крисси, своей младшей, когда она завопила во всю силу легких. Через тонкую пижамную курточку я чувствовал, что у нее сильный жар. Жар был и у других больных, Рикки и Бриджет. Все они начали плакать, требуя имбирного эля.

«Я тоже плачу», — подумал я, торопливо ища запасную косынку Мэри Кэтрин. И лучше не жалеть виски «Джек Дэниелс».

Глава четвертая

Мужчина в превосходно скроенном костюме от Живанши закончил утреннюю работу с обычной сноровкой. После прозрения в его жизни многое изменилось — он был теперь новым человеком, но блестящий ум и навыки остались прежними.

Войдя в гараж величественного дома в Локаст-Вэлли, он услышал, как заработали дождеватели на газоне. Взглянул на черный циферблат «Ролекса» в корпусе из нержавеющей стали. Ровно семь утра. Превосходно: он опережал график именно так, как и хотел.

Он открыл блестящую дверцу «БМВ-720», положил портфель от Луиса Вуттона на пассажирское сиденье и сел за руль. Установив зеркало заднего обзора, он увидел свое отражение. Точеные, резкие черты лица, длинные черные волосы и пронзительные ярко-синие глаза — чем не фотомодель журнала «Вэнити фэр»? Улыбка обозначила ямочки на щеках и превосходные белые зубы.

Он повернул ключ зажигания, и мотор роскошного седана заработал с негромким выхлопом.

Но это было еще не все.

Пока мотор прогревался, Новый Человек достал из внутреннего кармана пиджака смартфон «Палм-трео-750». С помощью этого маленького устройства можно звонить, принимать и отправлять электронную почту, входить в Интернет. Он открыл в «Майкрософт» файл, над которым работал.

Это было объявление о его миссии, краткое изложение целей, философии и стремлений. Как ни странно, заимствовал он эту идею из фильма «Джерри Магуайер». Там персонаж, которого играет Том Круз, отправляет объявление о миссии, взбесившее всех.

Именно так собирался поступить Новый Человек.

Только это был не фильм.

Том Круз по-прежнему ему нравился, хотя и свалял дурака в шоу Опры Уинфри своим кривляньем с запрыгиванием на диван. Может, дело заключалось в их легком сходстве, однако Новый Человек считал его образцом для подражания, чуть ли не братом по духу. Круз во всем добивался совершенства, был бесподобным профессионалом, победителем, совсем как он сам.

Перечитав объявление в сотый раз, он понял, что документ совершенен. Оставалась лишь одна проблема — как его подписать. Настоящим именем он воспользоваться не мог, а подпись «Новый Человек» недостаточно утонченна. Он чувствовал, что нужное имя вертится на периферии сознания, но не мог его уловить. «Ладно, оно еще придет на ум», — подумал он, закрывая «трео» и снова опуская его в карман. Важные вещи всегда приходят.

Он беспечно нажал кнопку открывателя гаража на защитном козырьке машины и стал плавно выезжать задом на яркий дневной свет, льющийся в подъемную дверь.

Мельком взглянув в зеркало заднего обзора, он увидел громадную решетку «линокольна-навигатора», стоявшего прямо на его пути.

Он ударил по тормозам, едва не превратив блестящую, красивую решетку в искореженный кусок металла.

Судорожно выдохнув сквозь сжатые зубы, он включил переднюю скорость. Чертова Эрика! Нужно же было поставить свой чудовищный внедорожник именно на том месте, где он не мог его объехать. Теперь придется опять подниматься в дом, искать ключи, отгонять «навигатор» и все начинать снова. Как будто он не спешит. Как будто у него нет важных дел. Эрика не понимает этого, у нее сроду не было ничего важного.

И теперь уже не будет.

Эта мысль слегка улучшила его настроение, но три минуты спустя, когда он вновь подошел к «навигатору», раздражение вспыхнуло снова. Запас времени сокращался.

Он с силой повернул ключ зажигания, согнув его, выжал до отказа акселератор и включил заднюю скорость. Широкие шины внедорожника завизжали, когда машина рванулась назад, стирая резину на известняковом щебне подъездной аллеи. Не поворачивая, он продолжал ехать прямо на безупречный газон. Колеса, оставляя глубокие рытвины, подбрасывали в воздух пучки блестящей зеленой травы.

Бросив «навигатор» с работающим мотором, он гораздо осторожнее вывел «БМВ» на пустынную улицу пригорода. Он слегка успокоился, почти покончив с этой неприятной задачей и все равно опережая свой график.

Но когда сел в «навигатор», чтобы вернуть его на место, струя холодной воды из дождевателя обдала спину, замочив сшитый на заказ пиджак от плеч до талии.

Его синие глаза вспыхнули от ярости, и он едва не ударил по рулю ладонями. Но вовремя вспомнил о сеансах психотерапии по управлению гневом, принять участие в которых ему посоветовали несколько лет назад. Женщина-психолог учила его подавлять разрушительную ярость: вести обратный счет от десяти, глубоко дышать, стискивать кулаки, внушая себе, будто давит сок из апельсинов.

«Сжимайте апельсины, — явственно вспомнился ему ее спокойный голос. — И слизывайте, слизывайте, слизывайте сок».

Он попытался это сделать. Сжимал и слизывал. Сжимал и слизывал.

Струя дождевателя снова устремилась к «навигатору», брызнув ему в лицо через открытое окошко.

— Я покажу тебе управление гневом, безмозглая тварь! — прорычал он и нажал на педаль акселератора.

Разбрасывая траву и куски известняка, внедорожник промчался по гаражу и врезался в заднюю стену на скорости тридцать пять миль в час. Грохот был такой, словно в телефонной будке взорвалась бомба, стойки треснули, пыль от сухой кладки заклубилась в воздухе.

Он выключил зажигание и протиснулся наружу. Теперь все было тихо, если не считать шипения треснувшего радиатора и негромкого шелеста дождевателей на газоне.

— Это будет ей уроком, — сказал он.

И замер.

Урок. Учитель.

Вот оно — превосходное имя, которое он искал!

— Эрика, наконец ты сделала что-то полезное, — негромко произнес он.

Затем достал «трео» из кармана мокрого пиджака и включил его.

В конце объявления о своей миссии, под словами «С наилучшими пожеланиями», он отпечатал на светящемся экране: «Учитель».

В последний раз проверил список получателей, убедившись, что адрес «Нью-Йорк таймс» верен.

И нажал «отправить».

Он сунул «трео» в карман и побежал по красиво изогнутой подъездной аллее к ждущему «БМВ».

Неужели это дело наконец-то сделано?

Он — Учитель, люди — его ученики, и занятия вот-вот начнутся.

Глава пятая

Учитель въехал на автостоянку для жителей Локаст-Вэлли возле железнодорожной станции Лонг-Айленд, поставил «БМВ» между «мерседесом СЛ-600» с откидывающимся верхом и «рейнджровером»-внедорожником. «В Локаст-Вэлли даже машинам нужны богатые соседи», — подумал он.

Заглушив мотор, он осмотрел пиджак, расстеленный на заднем сиденье для просушки. При теплой, солнечной погоде превосходная ткань быстро высохла. Никто не заметил бы легкой оставшейся влажности.

К нему вернулось хорошее настроение. Можно даже сказать превосходное. Дела вновь пошли как ему нужно. Он властвовал над миром. Насвистывая арию из «Идоменея» Моцарта, он взял мягкий портфель с пассажирского сиденья и вылез из машины.

Подходя к платформе, он увидел высокую беременную женщину, с трудом вкатывающую детскую коляску по ступеням.

— Давайте, помогу вам, — сказал он и, взявшись свободной рукой за переднюю ось, помог женщине поднять коляску на платформу. Это была замысловатая модель «Бугабу» — дорогая, как и все здесь. В том числе и мать — тридцати с лишним лет, белокурая, привлекательная, с бриллиантовым браслетом, ярко сверкающим на правом запястье. «Замечает она, что груди почти вылезают из тесной кружевной кофточки над выпирающим животом? — подумал Учитель и решил: — Да. Они весьма соблазнительны — именно то, что надо».

Он улыбнулся, когда женщина оценивающе оглядела его костюм от Живанши, туфли от Прада и загорелое точеное лицо. Конечно, она осталась под впечатлением. У него был лоск, дающийся только деньгами, безупречный вкус и мужская привлекательность. Сочетание достаточно редкое.

— Большое спасибо, — сказала она и обратила взгляд на своего спящего ангелочка. — Знаете, мы вчера прилетели с Мальдив. Сегодня у меня встреча за обедом в ресторане «Жан Жорж», которую нельзя отменить, а наша няня во время перелета уволилась. Нужно было бы ее там и оставить. — Она понизила голос до соблазнительного заговорщицкого: — Не хотите приобрести годовалого мальчика?

Учитель долго спокойно смотрел ей в глаза, этот взгляд говорил: он обладает всем, что она нашла в нем, и еще многим, очень многим. Она восхищенно смотрела на него, чуть приоткрыв губы.

— Я определенно взял бы его на час-другой, если бы с ним пошла мама, — ответил он.

Полнотелая красавица по-кошачьи изогнулась, одарив его лукавой улыбкой.

— Вы порочны и сексуальны, так ведь? — сказала она. — Я два-три раза в неделю езжу в город, обычно в это время и одна. Может, мы еще встретимся, порочный мужчина.

Эталон современного материнства подмигнула и пошла плавной походкой в своих туфлях-лодочках с открытым носом, демонстрируя ему длинные, крепкие ноги и виляя бедрами.

Учитель застыл в недоумении. Порочный? Он хотел своей фразой оскорбить эту шлюху, пристыдить ее, показав, как ему отвратительна ее распущенность. Неужели она не уловила сарказма? Очевидно, нет.

Но он выразился совершенно ясно. Проблема в том, что пристыдить не имеющих стыда невозможно.

В не столь уж далеком прошлом он воспользовался бы своим неотразимым обаянием, чтобы соблазнить ее, — повел бы в отель и дал бы там волю своей похоти, распаленной ее беременностью.

Но человека, каким он был когда-то, уже не существовало — он уничтожил его, ступив на тропу, сделавшую его Учителем.

Теперь он мог ясно вообразить, как до смерти избивает эту женщину детской коляской.

Поезд, шедший в Нью-Йорк, приближался с нарастающим грохотом, сотрясая бетонную платформу.

— Посадка заканчивается! — крикнул кондуктор.

«Следующая остановка "Откровение"», — подумал Учитель, заходя в вагон с остальными пассажирами.

Глава шестая

Примерно через час Учитель вышел на станции метро «Тридцать четвертая улица». Восемь тридцать пять утра, самый пик, и грязная платформа была забита людьми.

Он подошел к ограничительной линии со стороны посадки к центру города. Справа от него стоял бездомный, от которого несло, как из открытой канализации, слева юная девица, громко говорившая по сотовому телефону.

Учитель пытался не обращать на них внимания. Ему требовалось думать о чрезвычайно важных вещах. Но если в отношении бездомного он преуспел, то заставить замолчать бесстыжую девчонку, раздражавшую всех подробностями своей скучной, бессмысленной жизни, было невозможно.

Он наблюдал за ней краем глаза. Высокая, тонкая, лет восемнадцати-девятнадцати, и вместе с пронзительным голосом все в ней было направлено на привлечение внимания — темный загар, неестественная белизна волос, слишком яркие тени и короткая розовая куртка с капюшоном, открывающая спереди сверкающую блямбу на животе, а сзади непристойную татуировку над ягодицами.

Поедая рогалик с луком, она громко болтала об операции по удалению грыжи у чистопородной таксы, и он обнаружил, что невольно отступает к дурно пахнущему бездомному.

В туннеле показались фары приближающегося поезда. Учитель расслабился — близилось избавление от этой мелкой неприятности.

Но тут девица подошла к краю платформы, небрежно задев его, и капля сливочного сыра из ее рогалика шлепнулась на носок его ботинка от Прада.

Учитель в изумлении уставился сперва на свои туфли, стоившие шестьсот долларов, потом на девицу в ожидании извинений. Но та, увлеченная вульгарной пустотой своей жизни, либо не заметила, что оскорбила человека, либо ей было наплевать.

Он ощутил в животе внезапную легкость — ненависть и презрение, значительно превосходящие обычный гнев.

«Сделай это сейчас! Вот превосходная возможность. Начни миссию!» — раздался в голове хор голосов.

«А план? — запротестовал он. — Разве я не должен придерживаться плана?»

«Дурак, не можешь воспользоваться дополнительной возможностью? Импровизируй и побеждай — помнишь? Действуй!»

Учитель закрыл глаза, у него появилась цель, которую он мог назвать только священной.

«Ладно, — подумал он. — Быть посему».

Девица весила не больше ста фунтов. Ему потребовалось лишь слегка повести бедром, чтобы столкнуть ее с платформы.

Онемев от изумления, она, цепляясь за воздух, рухнула вниз и приземлилась, раскинув руки, на татуированный зад. Ее сотовый телефон со стуком запрыгал по шпалам навстречу приближающемуся поезду.

«Да! — подумал Учитель. — Это знамение — превосходное начало!»

Девица пронзительно заголосила. Рот ее открылся так широко, что туда вошел бы теннисный мяч. Наконец вместо глупой болтовни она извергала что-то подлинное, человеческое. «Поздравляю, — подумал он. — Я сомневался, что в тебе это есть».

Но выказывать приятное удивление было нельзя.

— Боже! Она спрыгнула! — закричал он.

Девица пыталась отползти с путей, упираясь ладонями, словно ноги не действовали. Может, при падении позвоночник оказался поврежденным. Учитель едва расслышал ее слова, заглушенные грохотом приближавшегося поезда:

— Помогите! Пожалуйста, кто-нибудь, Господи...

«Жаль, что выронила свой сотовый, могла бы позвать на помощь по нему!» — захотелось крикнуть Учителю. Он понимал, что нужно уйти, но ее жалкая возня и возбужденная толпа представляли собой восхитительное зрелище.

Взявшийся невесть откуда хорошо одетый латиноамериканец средних лет растолкал людей и, спрыгнув на путь, легко поднял девицу, словно занимался этим всю жизнь.

Это означало, что он мог быть полицейским.

И тут кто-то в толпе закричал:

— Она не спрыгнула — он ее столкнул! Вот этот, в костюме!

Учитель резко взглянул в ту сторону. Искривленная, сутулая старуха в косынке указывала на него.

Люди ложились на платформу и тянули руки к герою и девице. Поезд загудел, завизжали тормоза, машинист тщетно пытался остановить состав. Он находился не более чем в двадцати футах, когда пассажиры втащили обоих на платформу.

— Ты! Ты столкнул ее! — кричала старуха, по-прежнему указывая на Учителя. «Вот незадача!» — в ярости подумал тот. Не только белый рыцарь явился невесть откуда и спас девицу, но его увидела какая-то старушенция. Так и хотелось схватить ее и швырнуть под все еще движущийся поезд.

Но поскольку опасность миновала, люди стали оборачиваться к Учителю. Он улыбнулся как можно обаятельнее и постучал указательным пальцем по виску.

— Она ненормальная, — сказал он, пятясь. — Помешанная.

Он не стал заходить в вагон, а повернулся и неторопливо пошел прочь. Люди продолжали смотреть на него, однако никто не собирался задерживать.

Подойдя к лестнице, он на всякий случай проверил, нет ли преследователей. «Невероятно, — подумал он, покачивая головой. — Что произошло с доброй старой нью-йоркской апатией? Вот наказание!»

И все-таки эксперименты всегда поучительны. Теперь он понял, что нельзя отклоняться от плана, как бы ни хотелось.

Учитель заморгал, выйдя из метро. Испещренная полосами света и тени Седьмая авеню была заполнена людьми — их были тысячи, десятки тысяч.

«Доброе утро, ученики», — мысленно произнес Учитель, направляясь к россыпи огней на Таймс-сквер.

Глава седьмая

На то, чтобы вымыть детей, дать им лекарства и снова уложить в постели, у меня ушло больше часа. Я не смог поесть до четырех утра. За окном моей спальни небо над Ист-Сайдом начинало светлеть.

«А ведь когда-то не спать всю ночь доставляло удовольствие», — подумал я, перед тем как погрузиться в мертвецкий сон.

Проснулся я через секунду после того, как открыл глаза. Разбудившая меня какофония кашля, чихания и плача на полную громкость вливалась в открытую дверь спальни. Зачем мне будильник?

Быть единственным родителем трудно во многих отношениях, но, лежа там и глядя в потолок, я нашел самое худшее: рядом нет никого, чтобы толкнуть тебя локтем и негромко сказать: «Твоя очередь».

Я заставил себя встать. Заболели еще двое: Джейн и Фиона самозабвенно блевали в ванной. «Может, это всего лишь кошмарный сон», — с надеждой подумал я.

Но длилась иллюзия лишь несколько наносекунд, пока я не услышал, что шестилетний Трент стонет в спальне.

— Кажется, меня вырвет, — раздался его дрожащий голосок.

Мой халат несся за мной, как накидка Бэтмена, когда я со всех ног мчался на кухню. Вытащив мешок для мусора из ведра, я опрометью бросился с пустой посудиной в комнату Трента, распахнул дверь и увидел, как он извергает рвоту с верхней койки.

Догадка Трента оказалась верной. Я беспомощно наблюдал, как содержимое его желудка заливает пижаму, простыни и ковер, вспоминая очередную сцену из фильма «Изгоняющий дьявола».

Я бережно взял его под мышки и поднял с кровати, стряхивая налипшую рвоту на пол. Я нес плачущего Трента к своему душу и всерьез думал, не заплакать ли самому. Это не помогло бы, но, может, зарыдай я с остальными, то по крайней мере не чувствовал бы себя таким одиноким.

Следующие полчаса, раздавая детям тайленол, имбирный эль и ведра для рвоты, я задавался вопросом: что требуется для объявления национального бедствия? Я знал, что обычно это касается географических районов, однако численность моей семьи почти сопоставима с населением штата Род-Айленд.

Нашу младшую, Крисси, я осматривал каждые несколько минут. Тепла от нее шло больше, чем от батареи отопления. Это хорошо, так ведь? Тело борется с вирусом? Или наоборот: чем сильнее становился жар, тем больше требовалось беспокоиться?

Где была Мейв, чтобы сказать мне мягко, но серьезно, какой я идиот?

Сухой, отрывистый кашель Крисси казался мне громом, но говорила она слабым шепотом.

— Хочу маму, — плакала малышка.

«Я тоже, милая, — думал я, делая единственное, что пришло мне в голову, качая ее на руках. — Я тоже хочу твою маму».

Глава восьмая

— Папа?

Пятилетняя Шона смотрела на меня из проема кухонной двери. Она ходила за мной все утро верным лейтенантом, доставляющим обреченному генералу донесения с линии фронта. «Папа, у нас кончился апельсиновый сок». «Папа, Эдди не хочет арахисового масла».

Я жестом попросил ее подождать и вгляделся в неразборчивую микроскопическую надпись на бутылке детского сиропа от кашля, пытаясь вспомнить, кому именно он предназначен. Ах да, Крисси. «Чайная ложечка для детей от двух до пяти лет, весящих меньше сорока семи фунтов». Я понятия не имел, сколько она весит, но ей было четыре года, и я решил использовать этот сироп.

— Папа? — снова произнесла Шона, когда таймер микроволновой плиты засигналил, словно готовый расплавиться ядерный реактор. По уходу за больными детьми и подготовке здоровых в школу наша квартира, очевидно, достигла повышенной боеготовности.

— Да, малышка? — крикнул я, перекрывая назойливый шум и шаря в поисках пластикового мерного стаканчика.

— Эдди надел носки разного цвета, — торжественно объявила она.

Я едва не рассмеялся. Но Шона выглядела такой озабоченной, что я сумел сохранить серьезность.

— Каких цветов?

— Черного и синего.

Наконец-то не нужно ломать голову.

— Это ничего, — сказал я. — Даже хорошо. Он введет новую моду.

Я оставил попытки найти мерный стаканчик — он мог находиться где угодно — и принялся искать альтернативу. Мой блуждающий взгляд остановился на старшем сыне, Брайане, поглощавшем сухой завтрак «Капитан Кранч» за кухонным столом.

— Эй! Все средства хороши в любви и особенно на войне, — сказал я, вырвав у него ложечку и вытерев ее полой халата.

— На войне? Господи, папа, я просто завтракал.

— Сухие хлопья лучше высыпать в рот. Попробуй, — посоветовал я.

Отмеряя дозу сиропа, я заметил, что в кухне наступила многозначительная тишина.

Так-так.

— Доброе утро, Майк, — произнесла за моей спиной Мэри Кэтрин. — Позволь узнать, что ты делаешь с этой ложечкой?

Я постарался улыбнуться как можно приветливее, подыскивая ответ.

— Ну... чайная ложечка есть чайная ложечка, так ведь?

— С лекарствами — нет. — Мэри Кэтрин поставила хозяйственную сумку на рабочий стол и достала новую упаковку детского сиропа от кашля «Викс». — Вот чем пользуются цивилизованные люди, — сказала она, подняв вверх пластиковый мерный стаканчик.

— Папа? — снова подала голос Шона.

— Да, Шона? — ответил я в тысячный раз за утро.

— Ты совершенно никчемный!

И, хихикая, побежала по коридору.

Никчемный или нет, но вряд ли я кому-нибудь так радовался в жизни, как Мэри Кэтрин тем утром.

— Бери умственную работу на себя, — сказал я и поднял ведро для рвоты. — Я снова займусь уборкой.

— Ладно, — ответила она, наливая дозу сиропа в стаканчик, и озорно предложила: — Хочешь глотнуть, чтобы взбодриться?

— Конечно. И запить пивом.

— Извини, для пива слишком рано. Но я приготовлю кофе.

— Мэри, — улыбнулся я, — ты чудо.

Когда я протискивался мимо нее в узком кухонном проходе, мне вдруг подумалось, что она очень теплое и привлекательное чудо. Видимо, она прочла мои мысли, поскольку начала краснеть и поспешно отвернулась.

Мэри Кэтрин принесла еще много всего, в том числе пачку одноразовых защитных масок. Мы надели их и провели остаток часа, ухаживая за больными. Под «мы» я имею в виду ее. Пока я тупо опорожнял ведра и менял простыни, она раздавала лекарства и готовила уцелевших к школе.

Через двадцать минут стоны умирающих прекратились, а живые выстроились в холле, вымытые, причесанные и даже в одинаковых носках. Моя личная Флоренс Найтингейл* сделала невозможное. Безумие было почти под контролем.

Почти. По пути к двери Брайан, мой старший, согнулся и схватился за живот.

— Ох, мне холодно, — простонал он.

Мэри Кэтрин не колебалась ни секунды. Прижала тыльную сторону ладони к его лбу, пробуя температуру, а потом легонько дернула за ухо.

— У тебя воспаление хитрости, я ведь знаю о контрольной по математике, — сказала она. — Иди-иди, симулянт. У меня достаточно дел по дому, чтобы еще и ты мешался.

---

* Английская сестра милосердия. Олицетворяет лучшие черты своей профессии. — *Здесь и далее примеч. пер.*

Когда дети ушли, я наконец-то воспрянул духом.

«Обошлось без национальной гвардии. Со всей этой ситуацией справилась одна хрупкая девушка-ирландка».

Глава девятая

Учитель вошел в Брайант-парк за Нью-Йоркской публичной библиотекой в одиннадцать утра, по-прежнему опережая график. Зашел в свой штаб — снятую в Адской кухне квартиру — и полностью преобразился. «Ролекс» сменили спортивные часы «Касио». Костюм от Живанши был снят. Теперь он надел темные очки, оранжевую спортивную майку «Метс» и желтые обвисшие баскетбольные шорты.

Никто не узнал бы в нем элегантного бизнесмена, столкнувшего никчемную девку под приближающийся поезд — именно поэтому он и переоделся. Для успеха миссии требовались быстрота и внезапность. Следовало разить, словно кобра, и исчезать, до того как кто-то поймет, что он был там. Скрываться в толпе, используя ее в качестве живого щита. Уходить многоуровневым лабиринтом Манхэттена. Полностью менять внешность и разить снова.

Он нашел в парке пустой складной стул, достал из барсетки «трео» и вывел на экран другой содержавшийся там важный документ: четырнадцатистраничный план возмездия. Учитель полностью просмотрел длинный кодированный список. Читал, словно в трансе, медленно, мысленно репетируя все возможности, рисуя в воображении, с каким спокойным совершенством выполнит каждое действие.

Искусством воображения он овладел, когда в начале девяностых был подающим бейсбольной команды в Принстоне, не особенно талантливым, просто обладающим сильным ударом по мячу. Но тренер научил его перед каждым матчем наблюдать за игроками противостоящей команды, представляя в подробностях каждый аут.

Тренер показал ему и более простые приемы. Одним была мягкая подача, благодаря которой он казался быстрее. Другим — попадание в игрока, что привело к вполне заслуженной репутации жестокосердного.

Из-за этого его на первом курсе выгнали из команды. Он угодил мячом в одного неженку из Дартмута с такой силой, что расколол шлем и вызвал сотрясение мозга. Дартмутская команда решила, что он сделал это нарочно, поскольку пострадавший отбил три его подачи. Началась драка.

Они были правы — Учитель действительно послал мяч ему в башку нарочно, но совсем по другой причине. Его разозлила горячая подружка этого поганца, сидевшая в первом ряду, — она вскакивала и ободряла его всякий раз, когда он отбивал мяч. Этот подонок был совершенно не достоин такой девушки. И Учитель решил показать ей, что такое настоящий мужчина.

При этом воспоминании он улыбнулся. То была его последняя игра, но самая лучшая в жизни. Он сломал нос тренеру с третьей базы и едва не прокусил ухо их принимающему. Если уж уходить, то вот таким образом. Жаль, что потом он больше не видел той девушки. Но она запомнит его на всю жизнь.

Учитель отогнал воспоминания и сунул «трео» обратно в барсетку. Встал, потянулся и принял стойку бегуна на старте, касаясь пальцами гравийной дорожки.

Теперь он был настроен по-боевому. Настало время приниматься за дело.

Бах! — выстрелил воображаемый стартовый пистолет.

И он сорвался с места, отбрасывая гравий сильными ногами.

Глава десятая

Первым шагом в его плане было создание дымовой завесы. На тротуаре между Сороковой и Сорок первой улицами Учитель увидел превосходную возможность — пожилой бизнесмен неосторожно переходил Шестую авеню.

«Рази, как кобра», — подумал он, меняя направление бега.

Он врезался в этого человека, словно футбольный полузащитник, взял в захват его шею и потащил на тротуар.

— Эй! Что за черт? — пыхтел бизнесмен, слабо вырываясь.

— Переходи улицу на зеленый свет, — нараспев произнес Учитель и швырнул его на тротуар. — Как разумный человек, а не бессмысленное животное.

И уже через несколько секунд он снова бежал во весь дух, работая руками и высматривая очередную мишень. И заметил азиата, доставщика заказов из ресторана, тот спешил по противоположному тротуару, лавируя в толпе и толкая других пешеходов.

Учитель снова мгновенно сменил направление и помчался через улицу наперерез транспортному потоку под рев клаксонов, визг тормозов и громкую брань.

Пакеты с едой навынос взлетели, будто вспугнутые голуби, когда он остановил доставщика ударом предплечья по горлу.

— Где пожар, приятель? — зарычал Учитель. — Это тротуар, а не беговая дорожка. Прояви немного учтивости, понял?

И снова понесся, едва касаясь тротуара. Он чувствовал себя необыкновенным, непобедимым. Он мог взбегать по стеклянным фасадам административных зданий и спускаться по обратной стороне. Мог бежать вечно.

— Мы вас растрясем! — закричал он в испуганные лица. Он терпеть не мог эту песню, но, черт возьми, сейчас она была как нельзя кстати.

Люди останавливались и глазели на него. Уличные щеголи, продавцы горячих сосисок, водители радиофицированных автомобилей и рассыльные на велосипедах благоразумно уступали ему дорогу.

На улицах пресыщенного Манхэттена трудно привлечь к себе внимание, но ему это удавалось.

Свет, отражаемый темными стеклами чудовищных зданий, лился на него святой крещенской водой. Его лицо расплывалось в широкой усмешке, глаза туманили слезы счастья.

Он возбудил всеобщий интерес. После всех препятствий это было здорово.

Учитель соскочил с тротуара и помчался к Центральному парку.

Глава одиннадцатая

Через двадцать минут Учитель выбежал из Центрально парка на Верхний Ист-Сайд. Позади осталось более тридцати кварталов, но он почти не ощущал этого. Даже не запыхался. Пересек фешенебельную Пятую авеню и побежал на восток по Семьдесят второй улице.

Наконец Учитель остановился перед изысканно украшенным четырехэтажным зданием в стиле французского шато на юго-восточном углу Семьдесят второй улицы и Мэдисон-авеню — магазином Ральфа Лорена.

Его первая значительная мишень.

Учитель взглянул на часы, дабы убедиться, что не вышел из графика, и внимательно осмотрелся. Полицейских не было видно, и неудивительно. Магазин находился в центре самого населенного района. Примерно пятьдесят полицейских, может, чуть меньше, считая больных и находившихся в отпуске, должны были защищать более двухсот тысяч человек. «Повезло», — подумал Учитель. Открыл инкрустированную бронзой дверь и вошел внутрь.

Учитель огляделся, рассматривая персидские ковры, люстры и картины на пятнадцатифутовых стенах с панелями из красного дерева. Не какой-нибудь там «Ки-март». Антиквариат и цветочные композиции, кашемировый трикотаж и платья на пуговицах, разложенные с искусной небрежностью. Казалось, будто ты вошел и увидел семейство Вандербилтов, распаковывающих вещи после проведенного в Европе лета.

Словом, вид отвратительный. Учитель взбежал по широкой лестнице в мужской отдел.

За старомодным застекленным прилавком с галстуками стоял человек с прилизанными волосами в безупречно скроенном костюме-тройке. Он слегка приподнял бровь, выражая презрение к приближавшемуся неряшливому шуту.

— Могу я помочь вам? — произнес он со снисходительностью, граничившей с ехидством. Учитель знал, что если ответит «да», продавец расхочется.

Поэтому лишь улыбнулся.

— У нас проблемы с языком, сэр? — вполголоса спросил злобный мерзавец и, оставив напускную изысканность, заговорил на гораздо более грубом бруклинском диалекте: — Сейчас всем нужны барсетки. Может, вам отправиться в другой магазин?

Учитель снова промолчал. Расстегнул маленький пакет и, достав два предмета, похожих на сырные палочки — это были затычки для ушей со стрельбища, — неторопливо вставил одну в левое ухо.

Галантерейщик смутился и снова заговорил с напускной изысканностью:

— Простите, сэр. Я не понял, что вам нужен слуховой аппарат. И все же, если вы ничего не покупаете здесь, боюсь, я вынужден просить вас уйти.

Учитель помолчал, продолжая держать в пальцах вторую затычку, и наконец произнес:

— Собственно, я здесь затем, чтобы преподать тебе урок.

— Преподать урок мне?

— В умении торговать, — сказал Учитель, имитируя его высокомерный тон. — Ты был бы куда успешнее, если бы научился почтительно обращаться со всеми покупателями. Смотри, как это делается.

Он вставил в ухо вторую затычку, потом снова полез в барсетку и вынул смазанный пистолет.

— Вот это, — заговорил он, — «кольт-М девятнадцать-одиннадцать», полуавтоматический, сорок пятого калибра. Хотите, испытать его, сэр? Право, думаю, он произведет на вас впечатление.

Учитель снял оружие с предохранителя и взвел курок.

Продавец широко раскрыл рот. Губы его задвигались, он, заикаясь, произносил слова, которые Учитель едва слышал:

— О Господи... оч-чень извиняюсь... — Мягкая рука с маникюром спешно метнулась к кассовому аппарату и открыла ящик. — Пожалуйста, берите все...

Но другая рука опустилась под прилавок к спрятанной тревожной кнопке.

Учитель ожидал этого. Его палец дернулся, и первый патрон сорок пятого калибра прогремел, как динамитная шашка, стекло прилавка со звоном разлетелось в осколки. Продавец пронзительно закричал и отпрянул назад, сжимая искалеченную, окровавленную руку.

— Я здесь не для того, чтобы брать, — негромко сказал Учитель. — Я здесь затем, чтобы дать тебе то, чего ты хотел всю жизнь, но боялся попросить. — Искупление.

И выпустил оставшиеся в обойме патроны в грудь продавца.

Наблюдение, как он падает навзничь, судорожно подергивая ногами и руками, словно от удара громадной кувалдой, было самой восхитительной минутой в жизни Учителя.

Очередные не заставят себя ждать.

Торопливо спускаясь по лестнице, он плавными отработанными движениями перезарядил «кольт». Подойдя к двери, он увидел еще одного прилизанного продавца, притаившегося за мягким креслом с невысокой спинкой. Тот, до того перепуганный, что не мог позвать на помощь, дрожал в шоке.

Учитель приставил дуло к его щеке. Потом подбросил пистолет, поймал в воздухе и сунул обратно в барсетку.

— Ты очевидец истории, — сказал Учитель, похлопав по голове всхлипывающего щеголя. — Завидую тебе.

Он открыл дверь, вновь огляделся, потом вышел и смешался с прохожими на Семьдесят второй улице, снова став безликим членом толпы. Остановив первое же увиденное такси, он велел водителю ехать к автовокзалу возле управления порта, затем снова полез в барсетку и достал «трео».

Первой на экране появилась надпись «Продавец у Ральфа Лорена». Учитель стер ее и взглянул на часы. Операция заняла всего две минуты, к тому же он сразу поймал такси, все шло более гладко, чем можно было надеяться.

Он был не просто Учителем. Он был мужчиной.

Глава двенадцатая

В девять часов утра я позвонил на службу и сказал, что беру отгул. Что тут непонятного? Разве это не веская причина — полдюжины больных детей? Когда мы с Мэри Кэтрин убедились, что войска в полной боевой готовности, я сделал то, чего не делал больше недели. Надел ирландскую майку, два свитера и отправился на пробежку.

Как обычно, я добежал до мавзолея Гранта на углу Риверсайд-драйв и Сто двадцать второй улицы, чтобы засвидетельствовать генералу свое почтение. Только чудом я мог бы вновь напомнить центрального игрока бейсбольной команды Манхэттенского колледжа, каким некогда был, но тем не менее всю дрогу бежал в хорошем темпе.

Я старательно избегал газетных киосков, чтобы не вспоминать о катастрофе прошлой ночью, и никто в меня не стрелял. Это было самое лучшее утро за последнее время.

Возвратясь домой, я начал с главного в списке приоритетов — сунул Фионе доллар под подушку за выпавший зуб. В неразберихе прошедшей ночи я совсем об этом забыл. Представление с принесенным феей долларом, как и многое другое, значительно ухудшилось с тех пор, как мы лишились Мэйв.

Потом я сварил кофе и принялся за менее важные дела, вроде оплаты счетов через Интернет. Занимался я этим неспешно, постоянно отвлекаясь. Взять для разнообразия отгул — замечательная мысль. Может, и следовало устыдиться из-за того, что не написал рапорт о вчерашнем происшествии, но, честно говоря, угрызения совести меня по этому поводу не мучили. Я был дома со своей командой, любил их и с удовольствием заботился о людях, которые не пытались меня за это убить.

В миллиардный, наверное, раз я подумал, что в последнее время довел себя до полного истощения. Это в свой черед напомнило мне о предложениях работы, полученных за последние несколько месяцев после крупного инцидента с заложником в соборе Святого Патрика, сделавшего меня знаменитым.

Лучшей перспективой была должность менеджера корпоративной безопасности в радиовещательной компании Эй-би-си. Работа заключалась в координации охраны местных редакций новостей на Коламбус-авеню в районе Шестидесятых улиц. Добираться туда легко, часы работы удобные, и платили там вдвое больше моего нынешнего оклада.

Однако мне оставалось пять лет до пенсии за двадцатилетнюю выслугу, и, честно говоря, я отнюдь не был уверен, что хочу сдать свой значок. Главная проблема заключалась в том, что мне нравится быть полицейским, особенно детективом по расследованию убийств. Так называется моя должность.

С другой стороны, я люблю свою семью, которая теперь нуждалась во мне больше, чем когда-либо. Работа, позволяющая бывать дома каждый вечер и по выходным, стала бы настоящим благословением, дополнительные деньги тоже. Что делать?

Как обычно, ясного, легкого решения не находилось. Покончив со счетами, я усадил детей перед телевизором смотреть «Гарри Поттера».

Тут зазвонил мой сотовый. У меня было предчувствие, что ничего хорошего не услышу, но и не ответить нельзя.

— Майк Беннетт, — произнес я.

— Привет, Майк, это Марисса Уайетт. Будешь говорить с комиссаром Дэли?

Я так и сел. Понятно, что отгул после хаоса прошлой ночи мог вызвать легкое недовольство. Но звонок комиссара? Что ему от меня нужно? Неужели провал в Гарлеме уже вызвал такие неприятные последствия?

— Майк? — произнес Дэли.

Я встречался с ним несколько раз на совещаниях высшего руководства, куда меня приглашали. Он производил впечатление откровенного человека, во всяком случае, насколько это возможно во дворце головоломок на Полис-плаза, один. Я решил сразу же покаяться.

— Добрый день, комиссар, — сказал я. — Очень сожалею, что дела вчера пошли...

Он бесцеремонно оборвал меня:

— Поговорим об этом потом. Ты мне нужен здесь, немедленно. Сегодня утром произошли странные вещи. Несколько психопатических нападений. Кто-то столкнул молодую женщину в метро под приближающийся поезд. Потом убийство в магазине «Поло» на Мэдисон-авеню минут пятнадцать назад. Поскольку сегодняшний день сулит катастрофы, а ты единственный в управлении бывший начальник группы РК, я выбрал тебя для координации действий нашей команды.

«Черт возьми, — подумал я. — Неправда. Комиссар, должно быть, просматривал мое личное дело». В другой жизни, еще будучи холостяком, я какое-то время служил в ГРК, или в группе реагирования на катастрофы, федеральной команде, оказывающей помощь при бедствиях и расследующей их, особенно те, в которых просматривается преступный фактор.

Однако называть меня начальником группы нелепо. Благодаря моей ирландской болтливости мне лишь поручали всех отвлекать, пока настоящие герои — команда судебных антропологов, специалистов по охране окружающей среды и клинических психологов — создавали мне репутацию.

— Оставьте, комиссар. Это было давно. Я потерял голову и несколько лет служил у федералов. Нельзя использовать это против меня. И неужели в девятнадцатом участке больше нет детективов?

— Можно-можно. Ты у меня ведущий игрок, Майк, нравится тебе или нет. А это важный матч. Не подведи меня, ладно? И для тебя есть вознаграждение — ты на задании, поэтому тебе не нужно писать рапорт о происшествии в Гарлеме и общаться с шакалами из прессы. Отдел информации бесится от запросов на интервью с тобой.

Я прекрасно понимал, что Дэли против каких бы то ни было разговоров с журналистами о прошлой ночи, пока не собраны все факты. Но подает это так, будто делает мне одолжение. «И отдел связей с общественностью полагается на него», — подумал я.

— Седлай своего коня и скачи как можно скорее на Семьдесят вторую улицу, — закончил он. — Начальник детективов Макгиннесс введет тебя в курс дела.

«На что садиться? — подумал я, слушая длинные гудки. — Неудивительно, что он комиссар. Этот человек профессиональный манипулятор.

Не только не извинился, лишая меня отгула, но даже не дал возможности сказать о больных детях».

Я отложил телефон, злясь на Дэли и всех тамошних идиотов, пользующихся властью для решения своих проблем, но больше всего расстраиваясь из-за потерянной возможности побыть с детьми, выпадающей мне так редко. Но на смену мне придет Мэри Кэтрин, и, вероятно, им будет с ней лучше. Я сущий неудачник.

Я решил наскоро принять душ. Я не смыл пота после пробежки, и другого случая может не представиться несколько дней. Задумавшись о месте преступления, которое предстояло увидеть, я не глядя ступил в ванну и угодил в заполненный рвотой сток.

«Отгул накрылся, и даже дома невозможно отделаться от службы», — подумал я, потянувшись за туалетной бумагой.

Глава тринадцатая

Сидя на велосипеде «Фрежюс» с десятью скоростями, Учитель держался одной рукой за задний бампер автобуса номер пять, катившего по Пятой авеню. Добравшись до Пятьдесят второй улицы, он свернул на нее и, уже работая педалями, проехал между лимузином и громадными деревянными колесами телеги из Центрального парка.

Остановясь возле управления порта, он снова побежал трусцой в квартиру и переоделся совершенно иначе — в поношенные велошорты, выцветшую майку, велосипедный шлем — и снова сел на «Фрежюс». Теперь он ничем не отличался от других велосипедистов-рассыльных.

«Крепко держись и вперед!» — подумал он, вскидывая переднее колесо, чтобы въехать на строительную плиту.

Эта одежда обладала своей красотой и символикой. Этим утром он доставлял важное сообщение.

Кому: Миру

От кого: От Учителя

Тема: Существование, Вселенная, Бессмысленность жизни

Музыкальным сопровождением его мыслей послужила какофония громких автомобильных гудков от застрявших на узкой улице машин, когда там попытался припарковаться автофургон.

— Заткнитесь вы, шваль! — заорал в окно похожий на обезьяну водитель фургона.

«У тебя тоже приятный день», — подумал Учитель, пробираясь на велосипеде через это столпотворение.

Вонь отбросов и мочи ударила в ноздри, когда он проезжал мимо расставленных вдоль тротуара мешков с мусором. Или она шла от тележки с горячими сосисками? Трудно сказать. Он увидел воодушевляющий знак «ДАЖЕ НЕ ДУМАЙТЕ ПАРКОВАТЬСЯ ЗДЕСЬ!». Черт возьми, почему не написать сразу «СОВЕРШИТЕ САМОУБИЙ-СТВО»?

Он изумленно уставился на трусливые стада секретарш и бизнесменов, кишащих на углах, дожидающихся, как овцы, сигнала светофора, контролирующего их жизни. Неужели этот сущий ад, в котором они движутся, как зомби, приемлем для них? Легионы ходячих мертвецов с полным отсутствием разума.

Нет, постой. Они не обязательно безмозглы — это слишком грубо. Они невежественны. Не обучены.

Учитель резко остановил велосипед перед рестораном на северной стороне улицы.

Этим утром второй урок будет еще более впечатляющим, чем предыдущий.

Статуи жокеев на балконе клуба «Двадцать одно» надменно смотрели на него, когда он, сняв через голову стояночный замок, примыкал цепочкой «Фрежюс» к кованой изгороди. Когда он пробирался под тентом через толпу нарядных бизнесменов, до него донеслись другие запахи — на сей раз хороших сигар, сочных бифштексов и дорогих духов. Войдя, он словно бы оказался в ином измерении с приглушенным светом, классическим джазом, каминами, драпировками и креслами с широкой спинкой.

Всего на секунду он дрогнул. Возникло искушение приблизиться к обшитому темными панелями бару в глубине, заказать крепкую выпивку, положить свою ношу на красную кожаную банкетку, отставить тяжелую чашу судьбы.

Он взял себя в руки. Да, чаша тяжела, она раздавила бы большинство людей. Выдержать ее можно, лишь обладая твердой решимостью, как у него. Он не дрогнет.

— Прошу прощения! Тпру! — произнес кто-то. Учитель обернулся и увидел метрдотеля, надвигающегося на него, словно управляемая бомба. — Здесь требуется пиджак, и туалеты только для клиентов. Если привез доставку, иди через служебный вход.

— Это клуб «Двадцать одно», так ведь? — уточнил Учитель.

Губы метрдотеля искривились в ледяной улыбке:

— Отлично. В какой компании работаешь? Непременно воспользуюсь ее услугами, когда мне понадобится очень умный рассыльный.

Учитель сделал вид, что не заметил насмешки.

— У меня пакет для мистера Джо Миллера, — сказал он, открывая хромовую курьерскую сумку.

— Я Джо Миллер. Ты уверен? Я ничего не жду.

— Может, кто-нибудь хочет удивить вас, — подмигнул Учитель, доставая из сумки большой конверт. — Может, произвели на одну из посетительниц более сильное впечатление, чем представляете.

Миллер, видимо, счел эту мысль интересной.

— Хорошо, спасибо. Только в следующий раз служебный вход, ясно?

Учитель серьезно кивнул:

— Непременно. Конечно, приятель. Если следующий раз будет.

— Держи, — сказал Миллер, доставая из бумажника два доллара.

— Нет-нет, чаевых не беру, — отказался Учитель. — Но я должен дождаться ответа. — Снова подмигнув, он отдал Миллеру конверт. — Может, не стоит вскрывать его при всех? Надеюсь, понимаете, что я имею в виду.

Метрдотель огляделся. Толпа ожидавших, чтобы их усадили, росла. Но любопытство одержало верх. Он нетерпеливо вошел в комнату рядом со столом предварительных заказов. Учитель последовал за ним и встал в дверном проеме.

Он наблюдал, как Миллер вскрыл конверт и уставился на письмо. На его высокомерном лице отразилось недоумение.

— «Твоя кровь — моя краска», — прочел он. — «Твоя плоть — моя глина». Что это за чушь, черт возьми? — поднял он взгляд на Учителя, выходя из себя. — Кто это писал?

Учитель шагнул к нему в комнату.

— Говоря по правде, — ответил он, достав из сумки «кольт» двадцать второго калибра с глушителем и приставив ствол к пустому сердцу лизоблюда, — писал я.

Он выждал долю секунды, за которую в глазах метрдотеля появилось понимание. Потом, не дав Миллеру и моргнуть, дважды нажал на спуск.

Даже в маленькой комнатке выстрелы прозвучали так, словно кто-то откашлялся.

Подхватив падающего метрдотеля, Учитель усадил его в кресло и сунул окровавленное письмо между туфель Миллера. Любой заглянувший в комнатку счел бы, что Миллер на минутку присел отдохнуть.

Спрятав пистолет от чужих взглядов, Учитель повернулся к открытой двери и оценил обстановку. Он предпочитал уйти тихо, но был бы счастлив проложить выстрелами дорогу, если придется.

Однако в переполненных обеденном зале и баре люди продолжали смеяться, пить и болтать, как аниматронные куклы, кем, в сущности, и являлись. Колесо карнавала продолжало вертеться. Никто ничего не заметил. Все по-старому.

Он сунул горячий револьвер в сумку и через несколько секунд оказался возле велосипеда. На него по-прежнему не обращали внимания. Он пожал плечами. Список можно обновить. Достав «трео», он открыл план на светящемся экране и стер надпись «Самодовольный мерзавец в "21"».

— Алло, это семьсот пятьдесят? — послышался мужской голос. Лощеный, разодетый в пух и прах тип с Уолл-стрит со стодолларовой сигарой во рту достал смартфон из кармана пиджака в тонкую полоску. — Кореш, «трео» лидируют.

Кореш? Даже читатели «Уолл-стрит джорнал», биржевые маклеры, выпускники старейших университетов разговаривают сейчас, как торговцы наркотиками. Скверно, что общество стало сбродом аморальных стяжателей, так оно еще и подражает гангстерам.

— Да, брателло, передай привет своей кобыле, — сказал Учитель и показал болвану поднятый большой палец, выводя «Фрежюс» на улицу.

Глава четырнадцатая

Моя служебная машина находилась в ремонте, поэтому пришлось воспользоваться семейной. Это был крепкий, хотя и подержанный, проверенный в деле «додж», купленный несколько месяцев назад, правда — таково уж мое везение, — клаксон мог отказать в любую секунду, как у «фольксвагена» в фильме «Маленькая мисс Счастье».

Я ехал к Семьдесят второй улице, правя одной рукой, а другой — завязывая галстук, когда начальник детективов Макгиннесс позвонил мне по сотовому.

— Беннетт, где ты, черт возьми?

Голос его был таким громким, что мог лопнуть кровеносный сосуд.

— Мчусь со всей возможной скоростью, шеф, — ответил я. — Буду через пять минут. Что случилось?

— Только что застрелили метрдотеля в клубе «Двадцать одно».

Я почувствовал знакомый спазм желудка. Магазин «Поло», а теперь «Двадцать одно»? Два убийства в двух самых роскошных заведениях города меньше чем за час? Это, пожалуй, не лучше вчерашней ночи, а может, и похуже.

— Есть какие-нибудь соображения? — спросил я.

— Может, Дональд Трамп взялся за массовые убийства. Может, появился бродячий стрелок или два, и это совпадение. Мы мобилизовали контртеррористическое подразделение на тот случай, если тут действовали их клиенты. Терроризм — это твоя специальность, верно? Нет, прошу прощения, катастрофы.

Я потряс головой. То, что я служил в ГРК, уже стало общественным достоянием. Скоро все полицейское управление узнает мой грязный маленький секрет. Майкл Беннетт был федералом.

— Я бы не назвал это специальностью, — сказал я.

— Называй, как хочешь. Ты знаток, которого выбрал комиссар. Теперь жми сюда и разбирайся со всем этим.

«Так вот почему Макгиннесс такой злой, — подумал я. — Выбрал меня для этого дела не он, а комиссар Дэли».

— Шеф, считаешь, я сам вызвался? — возмутился я, но он уже отключил телефон.

Я нажал на педаль газа, на полу у переднего сиденья загремели футбольные бутсы и упаковки от детского питания.

Глава пятнадцатая

Фасад магазина «Поло» на Мэдисон-авеню походил на аукцион полицейских транспортных средств. Там были мотоциклы, тяжелые грузовики службы экстренной помощи, десятки легковых сине-белых автомобилей.

Я уже бывал на горячих местах преступлений, но это далеко превосходило все ранее виденное. Потом до меня дошло, что это, должно быть, новая тактика контртеррористического подразделения Нью-Йоркского полицейского управления, я слышал о ней, но пока не сталкивался. При первом намеке на угрозу до двухсот полицейских отправляются в данный район, приводя там всех в шок и трепет.

У меня мелькнула мысль, что, возможно, Дэли прав. Огни, полицейские, хаос, выброс адреналина вызвали некоторое оцепенение. Представшее перед глазами определенно напоминало чрезвычайные ситуации, где я некогда работал.

Зрелище было впечатляющим. Показав полицейский значок, я прошел мимо ребят из спецназа, с удивлением отметив укороченные винтовки «М-16» у них на ремнях. Такие стали выпускать после одиннадцатого сентября, но я до сих пор не смог к ним привыкнуть и, видимо, никогда не смогу. Подумал, что хорошо бы вернуться в добрые старые времена, когда штурмовые винтовки были только у торговцев наркотиками.

Интерьер магазина «Поло» выглядел чертовски роскошно, особенно для человека, делавшего большинство покупок в скромных торговых центрах. Рыжеватый парень на верху лестницы из красного дерева пошел мне навстречу — это был Терри Лейвери, очень толковый детектив из девятнадцатого участка. Я обрадовался, увидев умного человека, с которым можно ладить.

— Майки, что скажешь об этой армии снаружи? — спросил он. — Я не видел столько полицейских после конвенции по разоружению.

Я щелкнул пальцами, словно в голове вспыхнула лампочка.

— Так вот почему у меня возникает желание раздеться догола и съехать по этим перилам! Послушай, хочу сразу же сказать, что соваться на твою территорию не моя идея. Я даже взял сегодня отгул. Но комиссар настоял. Хочет убрать меня подальше, чтобы не задавали вопросов о провале операции вчера ночью в Гарлеме.

— Конечно, конечно, — равнодушно отмахнулся Лейвери. — Передай комиссару привет от меня, когда будешь обедать с ним в ресторане «У Элейн».

И с тяжелым вздохом раскрыл свой блокнот.

— Вот чем мы пока располагаем, — заговорил он. — Имя убитого Кайл Девенс. Сорок шесть лет, гей, жил в Бруклине, работал здесь одиннадцать лет. Есть свидетель этого происшествия, еще один продавец. Он смог прошептать нам десяток слов, потом вошел в ступор, так что описания стрелявшего у нас пока нет.

Насколько можно судить, убийца явился сюда до полудня, достал полуавтоматический пистолет, разрядил в Девенса всю обойму и вышел.

— И все? — спросил я. — Ни ограбления, ни борьбы, ничего больше?

— Если он хотел совершить ограбление, то сплоховал, потому что абсолютно ничего не исчезло. Если имелась другая причина, мы ее не знаем.

— У Девенса был любовник? — спросил я. Мы антитеррористическое подразделение, но должны расследовать это убийство в обычном порядке, пока не получим иных сведений.

— По словам управляющего, он жил несколько лет назад с каким-то мужчиной, но у них не сложилось, и он вернулся к матери. Мы пытаемся связаться с ним. Но на ссору любовников это не похоже, с сотрудниками он ладил. Никаких свидетельств, что он якшался с бандитами, нет.

Мое невезение продолжалось. Уже было ясно, что дело окажется непростым.

Эксперты разложили на дорогом ковре блестящие запонки, чтобы их сфотографировать. Там же было несколько гильз сорок пятого калибра.

Мой старый друг, технический эксперт Джон Клири, перехватил мой взгляд.

— Оставь надежды, Майк, — сказал он. — Мы уже посыпали их дактилоскопическим порошком. Отпечатков пальцев нет. И выходных отверстий от выпущенных в упор пуль сорок пятого калибра тоже. Я не медэксперт, но, по-моему, это означает, что пули с полым концом.

Да, новость «приятная». Не просто убийца-психопат, а человек, зарядивший оружие особо смертоносными патронами.

Тело Кайла Девенса все еще лежало на роскошном ковре. Он упал так, что отражался в угловом десятифутовом зеркале для примерки — композиция из крови, смерти и битого стекла, умноженная на три. Я уставился на зияющие раны в его груди.

«Да, когда перед тобой безоружный продавец галстуков, всем понятно, что тут важна убойная сила».

Но еще более, чем степень насилия, тревожила тщательность убийцы. Он был не только умелым и быстрым, он надевал перчатки, заряжая пистолет.

Я вспомнил об убийстве в клубе «Двадцать одно» и ощутил смутное, беспокойное предчувствие, что мы имеем дело с одним и тем же человеком.

Зато в предчувствии предстоящего тяжелого дня, ничего смутного не было. Оно бросало в озноб, как промокший плащ.

Глава шестнадцатая

Легкое волнение у входа в магазин означало, что приехал судебно-медицинский эксперт. Я ушел с его дороги и позвонил на Средний Манхэттен, чтобы узнать, не поступило ли новых сведений о других убийствах, упомянутых комиссаром Дэли.

Детективом, занимавшимся этим делом, была недавно получившая повышение Элизабет Питерс, с которой я еще не встречался.

— Девушка в метро говорит, что ее кто-то толкнул. Она не обращала внимания на окружающих и не заметила, кто именно. Но десяток свидетелей видели мужчину, стоявшего рядом с ней. Одна пожилая женщина утверждает, что он умышленно столкнул девушку бедром, еще несколько человек считают это возможным.

— Описание этого человека? — спросил я.

— Ничего существенного. Бизнесмен, холеный, в шикарном, по словам свидетелей, сером костюме. Белый, около тридцати лет. Волосы черные, рост шесть футов два дюйма, вес двести фунтов. Другими словами, щеголь-социопат. Совершенно в духе двадцать первого века, верно?

Детектив Питерс говорила бодро, ясно, сардонически. Я решил, что мы отлично поладим.

— К сожалению, верно, — согласился я. — Есть что-нибудь на видео, например, в какую сторону он пошел?

— Мы собрали пленки видеокамер универмага «Мэйси» и нескольких других мест на Геральд-сквер. Свидетели сейчас просматривают их, но я не жду затаив дыхание. Угол Тридцать четвертой улицы и Седьмой авеню в утренний час пик похож на столпотворение у стадиона «Янки» после решающего матча.

Интересно, есть что-то общее между превосходно одетым и ухоженным человеком и магазином сверхвысокой мужской моды, в котором я находился? Какая-то связь с высшим обществом?

— По крайней мере мы пригласим твоих свидетелей опознать этого маньяка, когда поймаем его, — заверил я. — Спасибо, Бет. Давай держать друг друга в курсе.

Окончив разговор, я в шестьдесят второй раз пошел справить нужду. Туалет управляющего, хоть и маленький, был почти таким же шикарным, как остальной магазин. И рвотой здесь не пахло. Я счел его четырехзвездочным.

И воспользовался возможностью позвонить домой.

— Извини, — сказал я Мэри Кэтрин, когда она ответила. — Я хотел взять выходной, чтобы помочь тебе, но распоясался один псих или психи, и... в общем, домой я вернусь не скоро.

— Майк, у меня все отлично. Честно говоря, я довольна, что ты не путаешься под ногами, — улыбнулась она.

— Спасибо, Мэри, — произнес я. — Позвоню еще, когда представится возможность.

— Постой, кое-кто хочет с тобой поговорить, — сказала она.

— Папа? — Это была Крисси, моя младшая. Похоже, состояние ее больного горла слегка улучшилось. Слава Богу за скромные милости.

— Папа, вели, пожалуйста, Рикки, чтобы не мешал мне, — попросила она. — Сейчас моя очередь смотреть телевизор.

«Еще одно преимущество вдовца, — подумал я. — Радость телефонного общения с детьми!»

— Дай ему трубку, малышка.

Кто-то попытался войти в маленький туалет и открыл дверь так сильно, что она ударила меня в спину. Мне посчастливилось поймать сотовый телефон над писсуаром.

— Ocupado*, кретин! — выкрикнул я, пинком захлопывая дверь, и подумал: «Ну и день. Впрочем, о чем это я? Ну и жизнь».

Глава семнадцатая

Следующим пунктом в моем списке было сравнение описаний подозреваемых в разных случаях. Проблема заключалась в том, что Бет Питерс дала мне только первое из них. Сведения такого рода из клуба «Двадцать одно» еще не дошли до меня. От Лейвери я узнал, что поиски на улице и опрос швейцаров вокруг магазина «Поло» ничего не принесли. А мы все еще ждали внятных показаний от продавца, товарищ которого был застрелен.

Я решил, что настала пора вмешаться.

Его звали Патрик Кардоне. Им занимались фельдшеры «скорой помощи», все еще затруднявшей движение по Мэдисон-авеню. Подойдя к ней, я увидел в открытую дверцу, что он сидит на носилках и плачет.

Я не люблю соваться к людям, только что пережившим трагедию, но сделать это требовалось,

---

* Занято (*исп.*).

и это было моей обязанностью. Действовать старался как можно мягче.

Я подождал, чтобы он перестал всхлипывать, постучал по дверце машины и жестом показал фельдшерам, что беру на себя заботу о нем.

— Привет, Патрик! Меня зовут Майк. — Я показал полицейский значок, после того как влез в машину, и тихо закрыл за собой дверцу. — Могу только представить, каково у тебя на душе. Ты перенес жуткое испытание, и я не хочу расстраивать тебя еще больше. Но мне нужна твоя помощь — мне и всем остальным людям в городе. Ты в состоянии немного поговорить?

Продавец утер ладонями заплаканное лицо, в смятении не заметив стоявшей рядом коробки с бумажными салфетками.

— Вот, — поставил я коробку ему на колени. Он благодарно взглянул на меня.

— Расскажи мне о Кайле, — попросил я. — Он был твоим другом?

— Да, — выразительно ответил Кардоне, утирая глаза. — По субботам мы вместе ездили на работу, и, подбирая меня у моего дома в Бруклин-Хайтс, он угощал меня кофе. Знаете, сколько таких добрых людей в этом городе? Я скажу вам — ровно ноль. А этот... этот мерзавец в спортивной майке взял и застрелил его. Вошел, застрелил и...

— Постой-постой, — перебил я. — Что было на человеке, который его застрелил?

— Оранжевая спортивная майка. На спине была надпись «Райт». Отвратительные баскетбольные шорты и... и зеленая бейсболка.

— Это очень важно, — сказал я. — Ты совершенно уверен?

— Уж в чем я разбираюсь, так это в одежде, — обиделся Кардоне. — Он выглядел смешно. Будто для комической рекламы спортивной одежды.

Итак, два этих человека были одеты совершенно по-разному. Ну что ж, между происшествием в метро и убийством в «Поло» прошло несколько часов. Легко представить, что один и тот же тип переоделся. Или психов было двое? Дуэт? Может, тут все-таки есть террористический аспект? Как любит говорить Мэри Кэтрин, дерьмо.

— Что ты еще заметил? — спросил я. — Цвет его волос, например.

— У него были большие темные очки, бейсболка натянута низко. Волосы темные, он белый, довольно высокий. Все остальное было скрыто. Кроме одежды, само собой. И пистолета, который он приставил к моей голове. Пистолет был серебристый, с прямоугольным стволом.

Белый, темноволосый, довольно высокий — это совпадало с подозреваемым из метро.

— Он что-нибудь говорил?

Патрик Кардоне закрыл глаза и кивнул.

— Он сказал: «Ты очевидец истории. Завидую тебе».

Ко мне вернулось тревожное предчувствие, что мы имеем дело с маньяком и, вероятно, умным.

Я поднялся и похлопал Кардоне по спине.

— Ты молодец, Патрик. Я не шучу — ты помог своему другу Кайлу как нельзя лучше. Мы поймаем этого типа, так ведь? Я оставлю вот здесь рядом с тобой свою карточку. Если вспомнишь еще что-нибудь, звони в любое время.

Поблагодарив его, я вышел из машины, уже открывая сотовый телефон.

— Шеф, я только что получил описание стрелка в «Поло», — сказал я, когда Макгиннесс ответил. — Тот же физический тип, что и человек в метро, только одет был в оранжевую спортивную майку.

— Во что, во что? — раздраженно переспросил Макгиннесс. — Я сейчас разговаривал с клубом «Двадцать одно», там утверждают, что стрелявший выглядел как рассыльный-велосипедист и даже уехал на десятискоростном велосипеде. Но в остальном тоже напоминал того типа в метро.

— Дело усложняется, шеф, — заметил я. — Убийца разговаривал здесь с другим продавцом и сказал ему, что тот, цитирую, «очевидец истории».

— Черт возьми! Ладно, я передам все это по телефону. Тщательно проверь все подробности, потом приезжай к клубу, попробуй разобраться в этом.

«Вступаем в сферу кошмаров», — подумал я.

ЧАСТЬ ВТОРАЯ
РВОТА ГАЛЛОНАМИ

Глава восемнадцатая

В маленьком, блаженно тихом вестибюле перед квартирой Беннетта Мэри Кэтрин взяла дневную почту и на минутку задержалась. «Какое замечательное помещение», — подумала она, стоя перед архитектурными чертежами в рамках, старым светильником, потускневшей латунной подставкой для зонтов. Живущие рядом соседи, Андерхиллы, нарисовали на столе для почты рог изобилия с золотыми листьями, маленькими тыквами и кабачками.

Но этот приятный тур окончился слишком быстро, когда она вернулась в квартиру Беннетта — набрала в легкие побольше воздуха, собираясь с силами, и открыла дверь.

Когда она вошла, шум обрушился на нее обвалившейся стеной. В гостиной Трент и Рикки громко отстаивали свои права на игровую приставку. Не уступая им, Крисси и Фиона спорили у компьютера в спальне. Шум старой, перегруженной стиральной машины сопровождал несущиеся с кухни вопли.

Мэри Кэтрин отскочила назад, когда маленькое, воющее существо цвета рвоты промчалось между ее ног. Она уставилась на него, не веря глазам. Но они ее не обманули.

Кого-то только что вырвало на кошку по кличке Соки.

Среди этого шума она едва расслышала телефонный звонок. Первой ее мыслью было подождать, чтобы включился автоответчик. Ей меньше всего хотелось еще одной проблемы. Но потом она решила: «Черт с ним. Хуже не будет». Подошла к настенному телефону и сняла трубку.

— Квартира Беннетта, — закричала она.

Звонила женщина, голос у нее был серьезный, отрывистый:

— Это сестра Шейла из церкви Святого Духа.

«О Господи, — подумала Мэри Кэтрин, — директриса школы. Новости будут скверные». Что ж, поделом ей за искушение судьбы.

Шум как будто стал еще громче. Мэри Кэтрин огляделась, не зная, как добиться тишины. И тут ее осенило.

— Да, сестра. Это Мэри Кэтрин, няня. Можете чуть-чуть подождать?

Она положила трубку, достала из чулана стремянку и поднялась к электрическому щитку на стене рядом с дверью. Когда она вывернула все четыре пробки, шум внезапно оборвался — утихли телевизор, компьютер, стиральная машина и, наконец, голоса детей.

Мэри Кэтрин подняла трубку и сказала:

— Извините, сестра. У меня здесь небольшой бунт. Чем могу быть полезна?

Она закрыла глаза, когда директриса отрывисто сообщила, что Шона и Брайан, половина группы Беннеттов, которую утром ей удалось выпроводить за дверь, заболели. Они находятся в кабинете школьной медсестры, и их нужно немедленно забрать.

«Превосходно, — подумала она. — Майк занят чем-то слишком серьезным, чтобы отвлекаться, а я не могу оставить малышей одних».

Она заверила сестру Шейлу, что отправит кого-нибудь за детьми как можно быстрее, и позвонила деду Майка Симусу. На сей раз судьба смилостивилась. Он согласился немедленно забрать их.

Едва Мэри Кэтрин положила трубку, как Рикки, Трент, Фиона и Крисси ворвались в кухню и хором стали жаловаться.

— Телевизор выключился!

— Мой компьютер тоже!

— Да, выключилось все.

— Должно быть, авария, — пожала плечами Мэри Кэтрин. — Тут ничего не поделаешь. — Она порылась в выдвижном ящике и достала колоду карт. — Играли когда-нибудь в очко?

Через десять минут кухонный стол превратился в ломберный. Трент банковал, остальные смотрели на свои карты. Уровень шума снизился, слышалось только, как младшие подсчитывают вслух очки и повторяют правила. Мэри Кэтрин улыбнулась. Она не одобряла азартных игр, но с удовольствием наблюдала, как дети развлекаются не ссорясь. Удостоверившись, что устройства для развлечений выключены, она снова ввернула пробки, чтобы закончить стирку и приготовить суп. Дети так увлечены игрой, что не заметят этого.

Но сперва требовалось заняться важным делом. Соки все еще жалобно мяукала, пытаясь обтереть заляпанную рвотой шубку о ее лодыжки. Мэри Кэтрин осторожно подняла кошку за шиворот.

— Ты еще будешь благодарна мне, — сказала она и понесла царапающую воздух в яростном протесте Соки к кухонной раковине.

Глава девятнадцатая

— Вы, должно быть, полицейский, потому что совсем не похожи на покупателя, — обратилась ко мне молодая женщина, когда я выходил из магазина «Поло».

«Это же Кэти Кэлвин, неустрашимый полицейский репортер из «Таймс», которая всех раздражает».

Говорить с ней сейчас я не хотел. Помимо всех стоявших передо мной проблем, меня по-прежнему злило, что она демонстративно не поддержала меня при осаде собора Святого Патрика.

Но я улыбнулся и подошел к барьеру, за которым она стояла. Я вспомнил, что врагов, которых мы не можем убить, нужно ласкать, и обман — это искусство войны. Спасибо Богу за классическое образование, полученное у иезуитов в колледже Реджис-Хай. Чтобы пережить встречу с этой дамой, нужно вспомнить Макиавелли и Суньцзы.

— Почему наши встречи всегда проходят по разные стороны полицейских барьеров и ограждающей место преступления ленты? — спросила она с широкой, бодрой улыбкой.

— Кэти, насколько я понимаю, чем крепче забор, тем лучше соседи. С удовольствием поговорил бы с тобой, но, право, очень занят.

— Да брось ты, Майк. Может, сделаешь хотя бы краткое заявление? — сказала она, включая цифровой магнитофон, и пристально на меня посмотрела. Я впервые заметил, что глаза у нее зеленые — яркие и несколько игривые. И улыбалась она хорошо. О чем это она? Ах да, ей нужно заявление.

Я постарался быть настолько неопределенным и кратким, насколько возможно. Сообщил, что продавец застрелен, и мы скрываем его фамилию до оповещения семьи.

— Ты как всегда кладезь сведений, детектив Беннетт. А как насчет стрельбы в клубе «Двадцать одно»? Эти убийства взаимосвязаны?

— Мы пока не можем строить гипотез.

— Что это, собственно, означает? Шеф Макгиннесс не допускает тебя к последнему?

— Без комментариев.

— Конечно, — ответила Кэти, выключив магнитофон, когда я наклонился и прошептал:

— Ответа не будет.

Когда она снова включала магнитофон, ее изумрудные глаза выглядели не так игриво:

— Давай поговорим о вчерашней ночи в Гарлеме. Свидетели говорят, полицейский снайпер застрелил безоружного. Ты находился рядом с жертвой. Что видел?

Я привык к агрессивным репортерам, но тут попытался вспомнить, где оставил свой перцовый аэрозоль.

— Кэти, мне бы очень хотелось мысленно вновь пережить этот случай, особенно с тобой, — сказал я. — Но, как видишь, я занят расследованием, так что извини.

— Почему бы нам не поговорить за обедом? Я угощаю. Магнитофон будет выключен.

Я щелкнул пальцами.

— Разве ты не знаешь? Я уже сделал заказ в клубе «Двадцать одно».

— Очень странно, — помрачнела она и пожала плечами. — Ну что ж. Девушке надо стараться. Может, не стоит воодушевлять тебя, но я могу представить и худшие встречи за обедом. Если когда-нибудь захочешь поместить частное объявление в газете, я помогу тебе его составить.

Высокий, хорошо сложенный, густые каштановые волосы, определенно привлекательный.

Меня поразило ее мнение обо мне. Может, Кэти просто льстила, чтобы получить больше сведений, но, казалось, она говорила серьезно.

— Таких планов у меня нет, — сказал я. — Но спасибо.

— И та реплика, что ты не похож на покупателя в магазине «Поло», — удар ниже пояса. На самом деле одеваешься ты замечательно.

Рука моя невольно поднялась поправить галстук. Черт, неужели я действительно ей нравлюсь? Или глупо даже думать об этом? Кэти была очень хороша, и в этой одежде — короткой тесной черной юбке, еще более тесной блузке и лаковых туфлях — выглядела чрезвычайно соблазнительно. Если забыть, что она стерва на роликовых коньках.

«А может, не такая уж и стерва? — подумал я. — Может, упорная профессионалка, бесцеремонно флиртующая, чтобы сделать свою работу, а я безнадежный старый ворчун, понимающий все неверно?»

Я попятился, будто смущенный школьник. Она наблюдала за мной, держа руки на бедрах и чуть склонив набок голову, словно бросала мне вызов на дуэль и ждала реакции.

— Не бери в голову, Кэти, — сказал я, — но я тоже могу представить худшие встречи за обедом.

Глава двадцатая

Оставшуюся часть дня я провел в клубе «Двадцать одно», главным образом опрашивая свидетелей, бывших там, когда застрелили метрдотеля Джо Миллера. Покончив с этим, я сел на красное кожаное сиденье в баре и зевнул. Свидетелей было много.

Самого убийства не видел никто, но люди не сомневались, что стрелял велосипедист-рассыльный, который вошел и быстро вышел именно в то время. Миллера нашли с окровавленным письмом между туфлями. И все сходились в том, что рассыльный был высоким, белым, примерно тридцатилетним.

Дальше шел сценарий «хорошие вести/плохие вести». Каждый, с кем я разговаривал, от влиятельных администраторов и клиентов до помощников официантов, утверждал, что на нем была светлая форменная майка — не оранжевая «Метс». Однако имелись шлем и темные очки. Как и в магазине «Поло», никто ясно не видел ни его лица, ни цвета волос. Поэтому данные для сравнения подозреваемых в разных убийствах отсутствовали.

Наряду с этой маленькой проблемой существовала еще одна тревожащая загадка. Метрдотеля убили пулей двадцать второго калибра, а Кайла Девенса сорок пятого. И опять-таки отпечатков пальцев на гильзах не было.

Существовало еще множество возможностей. Однако, несмотря на эти противоречия, интуиция все больше и больше подталкивала меня к мысли, что оба убийства по крайней мере связаны между собой. Возраст и внешность подозреваемых совпадали. Оба преступления произошли в шикарных заведениях.

Но самым важным был текст отпечатанного письма, обнаруженного при метрдотеле. Я открыл сумку для вещественных улик и перечел его снова.

«Твоя кровь — моя краска. Твоя плоть — моя глина».

В нем было жуткое сходство с тем, что убийца в магазине «Поло» сказал Патрику Кардоне.

«Ты очевидец истории. Завидую тебе».

Интуиция говорила мне, что мы имеем дело с человеком, который одержим безумными мыслями и хочет, чтобы люди это знали — мечтает прославиться своей манией величия. Но добиться такого внимания можно только жестокими, хладнокровными убийствами.

К сожалению, если я не ошибался, он был умен и осторожен. Разная одежда, разное оружие, прикрытое лицо, никаких отпечатков пальцев.

Кроме того, оставалось неясным, тот ли это псих, что столкнул девушку в метро под поезд на станции «Пенн». Никакого оружия, броская одежда, позволил себя увидеть. Но общее описание внешности совпадает.

Что ж, по крайней мере в последние несколько часов на Манхэттене не было других убийств. Может, нам повезет, и мы узнаем, что псих застрелился. Только вряд ли. Этот человек казался достаточно организованным, чтобы не покончить с собой. И к тому же мой день рождения только в следующем месяце.

Я закрыл блокнот и оглядел футбольные шлемы, музыкальные инструменты и яркие безделушки, свисающие с потолка знаменитого бара. Бармен сказал мне, что игрушки, как они их называют, подарены за последние сто лет кинозвездами, гангстерами и президентами.

Мысль, что Хамфри Богарт вместе с Хемингуэем мог повесить игрушку над тем самым столом, где сидел я, подвигла меня съесть гамбургер перед уходом. Я взял меню. И, дважды перечитав цены, понял, что не галлюцинирую.

Тридцать долларов?

— Не по карману тебе, малыш, — пробормотал я, вставая.

По пути к выходу я осмотрел фотографии на стене позади книги заказов. На каждой покойный метрдотель, «славный парень» Джо Миллер улыбался в обществе какой-нибудь знаменитости: Рональда Рейгана, Джонни Карсона, Тома Круза, Шака, Дерека Джетера.

— Хороший метрдотель может усадить вас там, где захочет, — сказал мне управляющий. — Джо обладал редкой способностью убедить вас, что его выбор — наилучший.

Миллер не пропустил ни единого рабочего дня с тех пор, как начал трудиться помощником официанта тридцать три года назад. Тридцать три года, а сегодня вечером его вдове и двум дочерям в Колумбийском университете придется задаться вопросом: «Черт возьми, что нам теперь делать?»

На Пятьдесят второй улице было темно. Несмотря на усталость, я не мог поверить, что этот тяжелый день окончился так быстро. Очевидно, время летит, когда ты не развлекаешься.

Еще я не мог поверить, что клуб «Двадцать одно» будет работать этим вечером. Богатые, красивые люди толпились на тротуаре, с нетерпением дожидаясь возможности войти. Может быть, убийство послужило дополнительной приманкой.

Управляющий беспокойно помахал мне рукой, дожидаясь разрешения убрать ленту, ограждающую место преступления. Минута молчания по его убитому служащему истекла. «Вот тебе и почтение к покойному, — подумал я. — Толстый полицейский в белом комбинезоне убрал с дороги твой труп, и заведение с прискорбным равнодушием продолжает работать».

Я наблюдал, как управляющий комкает желтую полицейскую ленту, спеша войти под навес. «Может, ее повесят над стойкой к другим игрушкам, — усмехнулся я напоследок. — Вклад Нью-Йоркского полицейского управления в образ жизни богатых и знаменитых».

И пошел прочь, вспоминая, где поставил машину.

Глава двадцать первая

Тот факт, что комиссар Дэли для этого задания выбрал именно меня, прочно засел в сознании. По дороге домой я в тысячный раз подумал об этом. Я чертовски нервничал из-за этого дела. Скорее всего мы схватим этого типа, тем более если он продолжит свои преступления.

Но проблема именно в том и заключалась. Сколько людей могут погибнуть до того, как мы его схватим?

Положение у меня было очень трудным. Улик пока совсем мало. Но я не мог подвести комиссара и город.

Когда я открыл дверь квартиры, в нос ударил сильный запах лизола, напомнив о проблемах, ждущих меня в этом мире.

— Папа, папа, смотри! — закричала Фиона. Ее косички мотались туда-сюда, когда она бежала ко мне, размахивая долларом, который я оставил под подушкой. И обняла меня, едва не свалив с ног. — Зубная фея не забыла! Пришла все-таки!

Я где-то читал, что восьмилетние девочки уже не интересуются игрушками — им нужны только косметика, одежда и электроника. Но Фиона, на радость мне, еще верила в волшебство. Я тоже обнял ее, и все мое беспокойство улетучилось. По крайней мере я хоть что-то делал правильно.

Фиона потащила меня в гостиную, я увидел швабру, пластиковое ведро и задумался, как Мэри Кэтрин провела свой день. Мне ли жаловаться? Как ни скверны мои будни, ее — и того хуже.

Секунду спустя она вошла и поспешила к швабре. Но я перехватил рукоятку, а другой рукой указал на лестницу, ведущую на третий этаж, в ее квартиру.

— Иди, отдыхай, Мэри. Я сделаю все необходимое. Тебе нужно приятно провести время с кем-то достаточно взрослым, чтобы голосовать на выборах. Это приказ.

— Майк, ты только что вернулся и должен немного отдохнуть, — запротестовала она. — Я могу задержаться на несколько минут.

Мэри Кэтрин потянула швабру к себе, но я держал крепко. Мы стали вырывать ее друг у друга, ведро опрокинулось, и вода растеклась по полу.

Не знаю, кто первый из нас засмеялся, но через секунду мы оба хохотали вовсю.

— Пол придется вытереть, — наконец сказал я. — И в последний раз приказываю тебе как полицейский покинуть эту квартиру. А то надену на тебя наручники.

Мэри Кэтрин внезапно перестала смеяться. Выпустила швабру и торопливо отвернулась, как в тот раз, когда мы коснулись друг друга в кухне. Теперь она определенно покраснела.

— Я имел в виду... не это, — сдержанно пояснил я.

— Майк, день был тяжелым. Завтра будет такой же, поэтому давай немного отдохнем.

Она пошла к лестнице, потом остановилась и постукала по стопке бумаг на журнальном столике:

— Тебе это будет полезно узнать. Доброй ночи.

Я подумал, что устанавливаю личный рекорд по количеству попаданий впросак перед женщинами за один день. Решил приписать это усталости. Или, может, у меня тоже начинался грипп.

Я посмотрел на бумаги, оставленные Мэри Кэтрин, — подробная компьютерная распечатка, медицинская карта моей подвергнутой карантину семьи. Кому нужно какое лекарство, сколько, когда. Я удивленно покачал головой. Эта женщина делала невозможное.

Может, спросить у нее, где находится псих-убийца?

Глава двадцать вторая

Выходя из ванной в своей квартире, Учитель вытирал полотенцем мокрые волосы и замер, услышав странный звук за окном спальни. Отогнув пальцем штору, он выглянул.

Внизу на Западной Тридцать восьмой улице кучер вел под уздцы серую, унылую лошадь в соседний, превращенный в конюшню дом. Рядом находились грязный гараж такси и пункт обналичивания чеков со стальными решетками на окнах и вечными осколками битого стекла на тротуаре под ними.

Учитель усмехнулся. Угол Тридцать восьмой улицы и Одиннадцатой авеню слишком грязный и захудалый даже для Адской кухни. Может, он ненормальный, но все-таки любил это место. По крайней мере здесь все было подлинным.

Опустошенный после выброса адреналина, он лег на тренажерную скамью возле кровати. На штанге было два блина по сто восемьдесят фунтов. Он легко снял ее с опор, опустил на грудь и полностью выжал, проделав это десять раз с замедлением, от которого горели мышцы и на глаза наворачивались слезы.

«Вот теперь гораздо лучше, — подумал он садясь. — Ну и день. Ну и день, черт возьми».

Он смочил тряпку, положил ее на лоб и снова лег на скамью. Наступило время бездействия — можно заняться чем угодно, например, включить телевизор в ожидании, когда мама и папа придут с работы.

Разминка помогла сжечь немного нервной энергии, и прохладная влажная тряпка действовала облегчающе. Он закрыл глаза. Приятно немного вздремнуть перед ужином. Проснется он свежим, готовым к очередной фазе.

Но едва он стал засыпать, громкий взрыв смеха и монотонный ритм рэпа заставили его сесть снова. Он раздраженно подошел к окну и отдернул штору. В ярко освещенном, незанавешенном верхнем окне склада на другой стороне улицы маленький азиат фотографировал двух высоких, тощих белых девиц в длинных платьях. Девицы начали танцевать, как помешанные, под бессмысленный речитатив рэпера Кертиса Джексона, хвастающегося, что он сводник.

Что за черт? Совсем недавно в этом здании был склад, где безногий толстяк по имени Мэнни держал тележки, с которых торгуют горячими сосисками. А теперь это ателье мод? Ну и район, черт возьми.

В первую иракскую кампанию он служил в разведвзводе морской пехоты, им выдали экспериментальное, похожее на базуку оружие, именуемое МШО*. Оно было снабжено снарядами с новой термобарической взрывчаткой. Выпускающие в воздух легкую дымку газа за микросекунды до воспламенения термобарические снаряды могли не только превратить в пар кирпичную кладку, но и выжечь весь кислород в зоне взрыва.

---

* Многоцелевое штурмовое оружие.

Сейчас Учитель отдал бы все что угодно за такой снаряд. Он даже ощутил покалывание в указательном пальце, вспомнив ощущение выстрела такими боеприпасами. Представил на месте этого здания дома, которые лично уничтожал огненным шаром и ударной волной, снесшими бы несколько верхних этажей.

Но у него было много другого оружия — полдюжины пистолетов, «МАК-9», боевой обрез «кольт АР-15», гранатомет «М203», набор глушителей. Позади них ровными рядами стояли картонные коробки с патронами. С полдюжины осколочных, дымовых, ослепляющих и оглушающих гранат лежало в большой коробке под его рабочим столом, будто ящик смертоносных яиц.

Однако нет. Убивать всякого раздражающего идиота — все равно что гасить мочой извергающийся вулкан. Надо придерживаться плана, уничтожая тех, кого нужно.

Учитель вошел в комнату, обставленную как кабинет, сел на антикварный стул от «Поттери Барн» и включил настольную лампу с зеленым абажуром. Стену за письменным столом полностью закрывали карты метро и улиц, фотографии вестибюлей домов и станций метро, взятая в раму афиша фильма «Лучший стрелок» с Томом Крузом. Портреты Марка Аврелия, Генри Дэвида Торо и Трэвиса Бикла из фильма «Таксист» были приклеены скотчем поверх титров. На столе лежали старые блокноты с мраморной бумагой, портативный компьютер и полицейский сканер, соединенный с магнитофоном. Рядом находился массивный рабочий стол — такие в халтурных фильмах полицейские забирают после налета.

На столе стоял телефон с автоответчиком. В последнее время он почти не проверял сообщений. Но сейчас удивленно вскинул брови. Тридцать шесть сообщений? Не может быть.

И тут он вспомнил, где должен был находиться утром. Да, теперь понятно. Когда он назначил эту встречу, она казалась бесконечно важной. Но после боевого крещения о ней можно было не думать.

Эта мысль улучшила настроение. Улыбнувшись, он стер сообщения, не прослушивая их, и вернулся в спальню. Вставил расслабляющий компакт-диск в плейер и включил его.

Звук волн, ласково плещущихся о берег, и негромкие крики чаек заглушили рэп, несущийся с другой стороны улицы. Он снова лег на скамью, резко поднял сокрушительный вес и опустил штангу на грудь.

Глава двадцать третья

Проснулся Учитель в одиннадцатом часу вечера от голода. Пошел на кухню, включил плиту и достал из холодильника сверток в оберточной бумаге.

Через двадцать минут ягнячьи отбивные шипели на сковородке во французском соусе демигляcc с портвейном и розмарином. Он коснулся горячего мяса пальцем и улыбнулся его податливости. «Почти готовы», — подумал он. Высыпал на сковородку картофель с пармезаном, полил его трюфельным маслом.

Положив еду на тарелку, он понес ее на покрытый скатертью стол в маленькой столовой. С хлопком открыл бутылку «Шато Мутон-Ротшильд» девяносто пятого года, стоящую четыреста пятьдесят долларов, бросил пробку через плечо и налил себе большой стакан.

Мясо таяло во рту, когда он, медленно прожевав первый кусочек, запил его глотком отборного каберне. Вяжущий танин, цветочный аромат, вкус черной смородины и лакрицы. Может, его имело смысл выдержать еще полгода для полного совершенства, но ждать так долго он не мог.

Учитель прикрыл глаза, смакуя трюфельное масло, пармезан, сочное мясо, потрясающее каберне. Он обедал почти во всех шикарных ресторанах Нью-Йорка и Парижа, но ничего лучшего не встречал. Или причина в том, что он выполнил сегодня много работы? Не все ли равно? Он заслужил эту гастрономическую нирвану.

Учитель растягивал ужин, как только мог, но, к сожалению, ему все-таки пришел конец. Он вылил вино из бутылки в большой стакан и пошел с ним в темную гостиную. Опустился там на кушетку, нашел пульт дистанционного управления и включил настенный плазменный телевизор «Сони» с экраном в шестьдесят дюймов по диагонали.

Появилось кристально ясное изображение ведущей программы Си-эн-эн Роуз Абрамс, она торопливо сообщала зрителям, что в городе распространяется грипп. Ну и пусть. Его это не волнует.

Он вытерпел еще несколько минут глупостей и рекламы, после чего она вернулась к главной теме дня.

Убийца, остающийся на свободе.

«Неужели, малышка Роззи? Что ты говоришь, черт возьми? Как насчет настоящих новостей?»

Учитель подался вперед, напряженно слушая. Сохранялась неясность относительно двух убийств. Полицейские не знали, связаны ли они друг с другом или со странным инцидентом, где молодую женщину в метро столкнули под приближающийся поезд. Не знали, искать одного подозреваемого или нескольких. Опасались, что, возможно, тут замешаны террористы.

Учитель откинулся назад и с улыбкой расслабился. Полицейские и журналисты все еще чесали в затылках — именно этого ему и хотелось.

О его объявлении о своей миссии, отправленном в «Нью-Йорк таймс», не было сказано ни слова. Он задался вопросом: это хитрость полицейских — утаивание сведений от общества по какой-то причине — или существует другое объяснение? Может быть, газетчики еще не установили этой связи. Ничего. Скоро установят.

Покончив с убийствами, Роуз Абрамс вернулась к банальной ерунде, интересной только скотам в человеческом облике на улицах. Учитель выключил телевизор и встал. Держа в руке стакан с остатком каберне, вошел в соседнюю комнату и щелкнул выключателем на стене. Помещение залило ярким светом.

На кровати для гостей виднелись очертания человеческого тела, полностью закрытого простыней, словно там кто-то спал.

Учитель откинул простыню с лица.

— Я начинаю, приятель, — сказал он.

Покойник смотрел на него невидящими глазами, лицо было покрыто запекшейся кровью. На правом виске виднелось маленькое входное отверстие от пули, на левом большое выходное.

— За привлечение их внимания! — Учитель, подмигнув, поднял стакан рубинового вина над телом. — И за завтрашний день, когда мы его усилим.

Глава двадцать четвертая

В половине седьмого утра в церкви Святого Духа в Верхнем Уэст-Сайде было пусто и тихо. Со своими непроницаемыми витражными окнами церковь казалась самым темным местом на всем Манхэттене.

«В том-то и проблема», — подумал отец Симус Беннетт, сидевший в алтаре.

Это не была какая-то новая форма религиозной деятельности. Просто — он наблюдал. В последние две недели некий вор запускал руку в кружки для сбора в пользу бедных, и Симус был исполнен решимости поймать виновного на месте преступления.

Он раздвинул алтарную завесу и, хмурясь, посмотрел в бинокль. Через два часа церковь наполнится великолепным светом, льющимся из многоцветных витражей. Но сейчас было так темно, что он едва видел двери. Наблюдал он почти час, однако все было спокойно.

Этот человек умен. Он всегда оставлял в кружках какие-то деньги, очевидно, думая, что кражи не заметят. Симус прекрасно знал, что они происходят — обычный ежедневный сбор снизился больше чем наполовину. Из этого следовало, что вор хитрый и, возможно, пробирается сюда тайком от Симуса. Симус не хотел включать электрический свет, которым обычно не пользовались по утрам. Любая перемена в заведенном порядке могла предупредить вора о наблюдении.

Он опустил свой... как называется на полицейском жаргоне бинокль? Ах да, «очки», и налил кофе из принесенного термоса. Выслеживать вора можно с большими удобствами. В следующий раз он прихватит веер — в тесном, закрытом пространстве душно — и подушку. А может, даже шезлонг. Ноги и зад онемели от сидения на холодном мраморном полу. Не помешал бы и партнер, с которым можно наблюдать по очереди. Допустим, один из дьяконов.

«А виноват во всем нежелающий помочь внук», — раздраженно подумал Симус. Майк отказался осмотреть место преступления, даже посмеялся над этой мыслью. Разве это чрезмерная просьба ради славы Божьей?

— Казалось бы, полицейский в семье неплохое подспорье, — пробормотал Симус, делая глоток дымящегося кофе.

Зазвонил сотовый, и он от неожиданности стукнулся головой о внутреннюю стенку алтаря, доставая телефон из кармана.

Это был Майк. «Надо же, — подумал Симус. — Легок на помине».

— Вы нужны мне, монсеньор, — сказал Майк. — Здесь. Сейчас. Пожалуйста и спасибо.

— А, понятно, — начал Симус. — Когда мне от тебя требуется небольшая помощь, то «простите, я занят». А когда нужен я...

Но Майк уже отключил телефон.

Симус захлопнул свой с резким щелчком.

— Думаешь добиться своего вежливостью, — проворчал он. — Но старый священник читает в твоем коварном сердце.

Он вылез из алтаря, растирая ноющую поясницу.

— Это вы, монсеньор? — послышался чей-то голос.

Симус повернулся к стоявшему перед ризницей человеку. Это был Берт, церковный сторож, глядевший на него в изумлении.

— Не глупи, Берт, — проворчал Симус. — Разве не ясно, что я грешный близнец отца Беннетта?

Глава двадцать пятая

Ты понимаешь, что тебе предстоит тяжелый день, едва продрав глаза. Я кое-как поднялся с кровати и помчался по комнатам подсчитывать число потерь. Изо всех углов раздавались стоны и охи. Никакого сомнения — дела в моей семье ухудшились. Квартира представляла собой уже не больничную палату. Теперь это был передвижной армейский госпиталь под минометным огнем.

Вскоре на плите стоял куриный суп, а желе «Джелло» охлаждалось в холодильнике. Тем временем я носился от ребенка к ребенку с холодными влажными тряпками в одной руке, термометром в другой и пятилетней Шоной на спине — измерял температуру, охлаждал горячих и потных, пытался согреть дрожавших. Где-то в этой компании могла находиться парочка способных идти в школу, но я был слишком занят, чтобы думать об этом. Здоровых этим утром пришлось предоставить самим себе.

После нескольких часов беспокойного полусна я не знал, долго ли смогу еще это выносить. Потому нехотя позвонил Симусу. Не стоило беспокоить его так рано, но двадцать минут возни с моими больными заставили меня махнуть рукой на хорошие манеры. Кроме того, разве это не дело священника?

— Папа? — Джейн взяла с ночного столика блокнот, когда я вошел в ее комнату. — Давай прочту тебе. «Болезнь продолжалась. Дело казалось безнадежным. Что совершил Майкл, глава семейства Беннеттов, чтобы навлечь такое несчастье на своих невинных детей?»

Я покачал раскалывающейся головой. Джейн в одиннадцать лет была в семье подающей надежды писательницей и решила использовать время вынужденного безделья на бытописание Беннеттов. Похоже, на ее стиль в равной мере влияли готические романы и преждевременное осознание вины.

— Замечательно, Джейн, — сказал я, не обращая внимания, что Трент в коридоре чихнул, и вытер руки о бедную Соки. — Только почему бы тебе не добавить нечто вроде: «Тогда их отец прибег к радикальному лечению — нещадным шлепкам всем и каждому!»

Джейн нахмурилась.

— Извини, папа, этому никто не поверит. — Послюнила указательный палец и стала листать страницы. — Я собиралась расспросить тебя о членах нашей семьи. Прежде всего о дедушке Симусе. Я думала, священникам нельзя жениться. Был какой-нибудь громкий скандал?

— Нет! — заверил я. — Никаких скандалов. Дедушка Симус стал священником поздно, после того как лишился бабушки Эйлин. Уже имея семью. Поняла?

— Ты уверен, что это разрешается? — недоверчиво спросила она.

— Уверен, — ответил я и ушел, пока она больше ничего не придумала. «Черт побери», как говорят старые ирландцы. Только этого мне и не хватало — еще одной репортерши, пытающейся в меня вцепиться.

Глава двадцать шестая

Я нашел Мэри Кэтрин на кухне, выключающей убегающий суп. И замер, увидев кое-что на столе позади нее.

Люди удивляются, почему ньюйоркцы не уезжают из-за чрезмерного уровня преступности и налогов. Так вот, одна из основных причин лежала на моем кухонном столе. Настоящие бублики. Мэри Кэтрин вышла из дому и купила дюжину. Судя по запотевшему изнутри пластиковому пакету, они были еще горячими. Рядом стоял картонный поднос с двумя большими чашками кофе.

Я недоверчиво прищурился. Мысль о завтраке я оставил через пять минут после пробуждения. Я дошел до такого отчаяния, что все это могло оказаться миражом.

— Подкрепление? — спросил я.

— И провиант.

Мэри Кэтрин протянула мне кофе и мужественно улыбнулась. Но впившись зубами в пропитанные маслом зернышки мака, я заметил под ее глазами мешки. Выглядела она такой же изможденной, как я.

«Почему она до сих пор здесь?» — подумал я в тысячный раз после ее появления. Я знал, что несколько моих более богатых соседей, видя в высшей степени профессиональную работу с толпой моих детей, пытались сманить ее большими деньгами. Быть няней на Манхэттене — дело доходное. Разные льготы, собственная машина и летние отпуска в Европе няням зачастую доступны. И у большинства миллионеров ребенок только один. Если бы Мэри Кэтрин ушла на более выгодное место, я бы нисколько не винил ее. Учитывая скудное жалованье, которое я платил, она явно перерабатывала, тратя время на одиннадцать жалких бедолаг.

Может, она чувствовала себя обязанной? Я знал, что Мэри Кэтрин пришла сюда по просьбе родных Мейв, когда она умирала. Но Мейв уже нет в живых. Сколько лет было Мэри Кэтрин? Двадцать шесть, двадцать семь? И всю оставшуюся жизнь ей предстояло тянуть этот воз?

Я пытался высказать ей свою озабоченность, когда ходячие раненые нахлынули в кухню и окружили ее, бурно проявляя свою любовь. Мои больные дети не были глупыми — они ценили ее, потому что она знала свое дело. Когда Шона слезла с моей спины и вцепилась в ногу Мэри как клещ, я ничуть не обиделся.

А когда она смеялась и шутила с детьми, я заметил нечто озадачивающее. Хотя Мэри Кэтрин выглядела усталой, на ее щеках появился новый румянец, а в голубых глазах новая твердость. Я застыл, слегка потрясенный. Казалось, она делала именно то, что хотела.

Я снова почувствовал приятное удивление. Как можно быть такой замечательной?

Краткий миг радости окончился, когда мой дед Симус ворвался в квартиру.

— Я только что узнал от церковного сторожа! — закричал он. — Вор опять залез в кружку для бедных! Неужели не существует ничего святого?

— Совершенно ничего, — заверил я. — А теперь, монсеньор, съешьте бублик, возьмите швабру и отдрайте палубу в детской ванной.

Глава двадцать седьмая

С прибытием подкрепления я получил возможность принять душ и побриться. Выходя, я взял еще один бублик и едва не сбил с ног свою соседку, Камиллу Андерхилл, ждавшую лифта в общем фойе.

Наша большая, даже роскошная квартира была завещана моей покойной жене Мейв — она была сиделкой у предыдущего владельца-миллионера. Мисс Андерхилл, старший редактор дамского журнала, изо всех сил старалась помешать нашему вступлению во владение. Так что неудивительно, что она не приглашает меня на вечерники с коктейлями, именуемые «Шестая страница».

Однако чванливость не помешала ей стучать в мою дверь в три часа ночи два года назад, поскольку ей показалось, что она видела вора на своей пожарной лестнице. Иди, разберись.

— Доброе утро, Камилла, — буркнул я с набитым ртом. Элегантная дама сделала вид, будто не слышит, и повторно нажала кнопку вызова.

Я чуть было не спросил: «Воров в последнее время не было?» Но у меня и без этого достаточно забот.

Я взял «Таймс», оставленный в фойе, — это была уловка, чтобы не спускаться вместе с ней в лифте. Сработала она прекрасно. Когда подошел лифт, Камилла тут же исчезла.

Первая страница раздела городских новостей была смята, и кто-то обвел кружком передовую статью, озаглавленную «Вакханалия убийств на Манхэттене». На полях мой услужливый дед Симус написал: «На твоем месте я бы этим заинтересовался».

«Спасибо, монсеньор», — подумал я и в ожидании лифта стал бегло просматривать статью.

Когда я дошел до середины, бублик выпал из моего разинутого рта. Репортер утверждал: «Осведомленный источник подтвердил, что инцидент в метро и два убийства непосредственно связаны, а убийца пользовался разными пистолетами и переодевался, чтобы "избежать поимки"».

Не нужно было даже смотреть на подпись, дабы понять, что моя любимая журналистка Кэти Кэлвин снова нанесла удар ядовитым пером.

Черт! Ей очень хотелось возбудить интерес, но зачем вмешивать сюда меня? «Осведомленный источник» — с тем же успехом можно было громадными красными буквами напечатать мою фамилию. К тому же я, хотя и думал именно так, не говорил ей ничего подобного.

Тогда кто же сказал? Есть утечка у нас в управлении? Или кто-то умеет читать мысли?

Лифт прибыл, я вошел в него, размахивая газетой, чтобы разогнать запах духов «Шанель». «Как вам это нравится?» — подумал я, потеряв работоспособность еще до того, как вышел на улицу.

Глава двадцать восьмая

Грохот поезда надземки разогнал мою сонливость сильнее, чем вторая чашка кофе, когда я выезжал на отремонтированном «шевроле» из мастерской напротив отдела расследования убийств на углу Бродвея и Сто тридцать третьей улицы. Механики управления отладили его ход, но почему-то не тронули подголовник пассажирского сиденья, оторванный выстрелом из дробовика несколько месяцев назад.

Впрочем, хорошо уже то, что «шевроле» завелся.

Когда я отъезжал, зазвонил мой сотовый. Звонили из комиссариата, и настроение у меня слегка поднялось. Мне уже прислали по электронной почте просьбу присутствовать на собрании в управлении в девять тридцать. Похоже, комиссар хотел лично проинструктировать меня относительно виновника вакханалии убийств. Я снова почувствовал себя полезным.

Я думал, секретарша попросит меня подождать, но звонил сам комиссар. Отлично.

— Беннетт, это ты?

— Да, сэр, — ответил я. — Чем могу быть вам полезен?

— Полезен мне? — заорал он. — Для начала, может, закроешь свой большой рот и будешь держать его на замке — особенно с репортерами из

«Таймс»? Даже я не разговариваю с журналистами без разрешения мэрии. Еще один такой ход, и окажешься в пешем патруле на окраине Стейтен-Айленда. Понял?

«Ну-ну, комиссар, не подслащивайте горькую пилюлю, — раздраженно подумал я. — Скажите, что испытываете на самом деле».

Я хотел оправдаться, но поскольку Дэли был зол, это лишь испортило бы дело.

— Больше не повторится, сэр, — пробормотал я.

Выехав на улицу, я пополз в плотном утреннем потоке машин к центру города.

Десять минут спустя на углу Восемьдесят второй улицы и Пятой авеню, телефон зазвонил снова.

— Мистер Беннетт?

На сей раз звонила женщина с незнакомым голосом. Возможно, писаки пытаются узнать последние сведения о ходе дела. Кто их обвинит? После того как Кэти Кэлвин изобразила меня на первой полосе, я выглядел лучшим другом журналистов.

— Что вам нужно? — отрывисто спросил я.

После краткой ледяной паузы женщина сказала:

— Это сестра Шейла, директор школы Святого Духа.

О Господи!

— Извините, сестра, — повинился я. — Я принял вас за...

— Ничего, мистер Беннетт.

В ее спокойном голосе сквозила неприязнь ко мне, даже более сильная, чем у комиссара.

— Вчера вы отправили в школу двоих больных детей, — продолжила она. — Позвольте напомнить вам, что на одиннадцатой странице справочника «Родитель — ученик» сказано: «Больных детей нужно оставлять дома». Мы в школе Святого Духа всеми силами стараемся противостоять эпидемии гриппа и подобного отношения не потерпим.

У меня было хорошее оправдание. Мои дети выглядели отлично, когда мы отправляли их в школу. Однако неприязненные нотки в голосе матери-настоятельницы остановили мой порыв, будто стена из шлакобетона. Я вновь почувствовал себя пятиклассником и промямлил:

— Да, сестра. Больше такого не повторится.

Не проехал я и трех кварталов к югу, как мой сотовый зазвонил опять. На сей раз я понадобился начальнику детективов Макгиннессу.

«Какого черта?» — подумал я, прикладывая телефон к уху, и не был разочарован.

— Слушай, Беннетт, я только что разговаривал с Дэли, — зарычал Макгиннесс. — Добиваешься, чтобы меня уволили? Почему бы тебе не прекратить любезничать с репортершами из «Таймс» и сделать одолжение нам обоим, занявшись тем, за что тебе платят? А именно выяснить, где находится этот серийный убийца! Твое легкомыслие меня бесит. А ты именно так реагируешь на эту катастрофу, мистер Специалист.

Ну все, с меня хватит. Две капитуляции за утро — мой предел. И мне надоели оскорбления по адресу самоотверженных профессионалов, с которыми я трудился в ГРК. Был когда-нибудь Макгиннесс первым на месте авиакатастрофы? Работал в передвижном морге, имел дело с массовым человеческим страданием изо дня в день? Я резко затормозил перед автобусом компании «Либерти лайнз» и остановился посреди Пятой авеню. Позади меня поток машин в час пик, должно быть, повернул обратно в Гарлем, но мне было все равно.

— Босс, ты подал мне идею! — выкрикнул я. — Отныне я официально меняю имя на Майк «Несерьезный» Беннетт. Если тебе это не нравится, и ты хочешь моей отставки, пожалуйста. Или, может, предъявишь мне служебное обвинение в любезничанье первой степени?

Я вынес еще одну ледяную паузу, после чего Макгиннесс сказал: «Не искушай меня, Беннетт» — и отключил связь.

Я посидел несколько секунд, лицо мое горело, в висках стучало. То, что он учинил мне разнос, куда ни шло, однако намек, будто я подверг дело риску из-за репортера, был подлым ударом. Они попросили меня заняться этим расследованием, так ведь? Каким идиотом я был — гордился, что меня выбрали, и беспокоился, как бы не подвести команду. Теперь моя команда пинала меня.

Насколько я понимаю, сына Вильгельма Телля тоже выбрали. А потом положили на голову яблоко.

— Да, да, да! — закричал я завывающим вокруг клаксонам. Неудивительно, что люди в этом городе сходят с ума. Нажав на газ, я присоединил гудок своего клаксона к общему хору.

Глава двадцать девятая

В комнате для совещаний на двенадцатом этаже дома на Полис-плаза, один, я за чашкой кофе впервые встретился с детективом Бет Питерс лицом к лицу. Сорока с лишним лет, изящная, тонкокостная, она больше походила на ведущую телепрограммы, чем на полицейского. Приятная, но проницательная, с живой улыбкой. Я снова подумал, что мы поладим.

Но времени для легкой беседы не было. Мы являлись оперативной группой, собранной начальником детективов Макгиннессом. После утреннего разговора с ним меня слегка удивило позволение участвовать в совещании.

В комнате находилось человек двадцать, главным образом полицейские, но я заметил нескольких агентов **ФБР** и штатских. Мы с Бет нашли свободные места в дальнем конце стола, и Пол Хэнбери, молодой черный судебный психолог и профессор Колумбийского университета, заговорил первым:

— Думаю, судя по вниманию к деталям, можно исключить вероятность того, что этот человек параноидный шизофреник. Если бы он слышал несуществующие голоса, то, видимо, был бы уже схвачен. Однако он кажется слегка помешанным. Учитывая переодевание и использование разного оружия, я не могу полностью исключить раздвоения личности. Сейчас о его мотиве можно только догадываться, но он соответствует образцу отшельнического типа, который не ладит с остальными — возможно, он перенес в раннем детстве травму и ищет отмщения через связанные с убийством фантазии.

Затем свои соображения нам изложил Том Лэм, суетливый психолог из ФБР с Федерал-плаза, двадцать шесть:

— Наш убийца почти наверняка мужчина, видимо, тридцати с лишним лет. Не знаю, соглашаться ли с тем, что он относится к отшельническому типу. Он явно без колебаний подходит к своим жертвам и разговаривает с ними. Тот факт, что он использовал пистолеты разных калибров, наводит меня на мысль, что он бывший военный или помешан на оружии. Я склоняюсь к последнему, так что, пожалуй, нужно обратить внимание на подозреваемых в краже оружия и боеприпасов.

— Думаете, убийца может быть не один? — спросила его Бет Питерс. — Может, команда стрелков, как в случае с Ли Бойдом Малво в округе Колумбия?

Федеральный агент сжал свой острый подбородок и задумался.

— Любопытная мысль. Давайте ее рассмотрим. Этот человек действует иным образом. Но, как сказал Пол, пока можно только догадываться.

Потом встал я. Головы повернулись ко мне.

— В таком случае почему бы нам не снизить слегка темп и рассмотреть возможность, что убийца лично связан с жертвами? — заговорил я. — Он совершенно хладнокровный. Не свирепый, эмоционально неуравновешенный, не владеющий собой, как многие убийцы.

Пол Хэнбери заговорил снова:

— Детектив, массовые убийцы зачастую годами планируют свои преступления. Когда им чинят препятствия, когда они уязвлены, их утешает мысль «я еще вернусь и добьюсь внимания, которого заслуживаю». Это наращивание фрустрации может принести поразительные результаты.

— Вас понял, — сказал я, глядя на Макгиннесса. — Однако я не совсем убежден, что он заурядный серийный убийца. Он мог бы связаться с прессой?

— То есть вы считаете, что он просто представляется ненормальным? — спросила меня Бет.

— Если просто представляется, — вмешался в разговор детектив Лейвери, сидевший напротив, — я бы первым выдвинул его на премию «Оскар».

— Вероятная программа у этого человека дает нам материал, чтобы продолжить расследование, — сказал я. — Иначе какая у нас альтернатива? Наводнить Манхэттен полицейскими и молить Бога, чтобы один из них оказался рядом, когда этот тип снова примется за свое?

Тут поднялся сам Макгиннесс, свирепо на меня глядя:

— Беннетт, именно так мы и поступим. Это называется действием на опережение. Агент Лэм, объясните, пожалуйста, свой план.

Я сел, и агент ФБР предложил, чтобы усиленные патрули и особенно антитеррористическое подразделение были размещены в определенных людных местах — в Рокфеллер-центре, Гарвардском клубе, Нью-Йоркском спортивном клубе, Линкольн-центре, Карнеги-холле и магазине «Тиффани».

«В магазине "Тиффани", — подумал я. — Будто там мало своей охраны! А как насчет Музея современного искусства и половины ресторанов в путеводителе Загата? Это Нью-Йорк. Полицейских не хватит, чтобы охранять все знаменитые заведения».

— И позвольте напомнить всем, что это секретная информация, — закончил Макгиннесс. Его суровый взгляд вернулся ко мне.

Я отвел глаза, собрался было оправдаться, но решил — черт с ним. Вместо этого взял еще чашку кофе, отпил глоток горячего, кислого напитка и уставился в окно на захватывающее зрелище Бруклинского моста.

Может, убийца сделает мне личное одолжение и начнет терроризировать какой-нибудь другой район.

Глава тридцатая

Учитель, свернув с Восьмой авеню на Сорок вторую улицу, сощурился за темными очками фирмы «Дизель» от яркого солнечного света.

Он снова переоделся, теперь на нем были куртка из ягнячьей кожи от Пьеро Туччи, майка с вызывающим рисунком и сапоги из кожи ската от Луккезе — одежда казалась повседневной, но знатоки поняли бы, что стоит она нескольких месячных зарплат. Он не побрился, и модная щетина на щеках придавала ему вид рок- или кинозвезды.

Он шел к Таймс-сквер в толпе тупых неудачников, и ему хотелось расхохотаться. То, что он делал это средь бела дня, было дерзким, горячило кровь. Словно под воздействием лучшего наркотика, какой только можно себе представить.

Наконец-то он выплеснет сдерживаемую всю жизнь злобу! С самого детства люди старались внушить ему эту большую ложь. Как все замечательно, какое это счастье — жить. Хуже всех была его ужасно надоедливая мать. «Мир это Божий дар, жизнь драгоценна, смотри, сколько у тебя радостей», — постоянно твердила она. Он, конечно, любил ее, но временами казалось, что она никогда не замолчит.

Она умерла три года назад, оставив свой бессмысленный университетский диплом по философии. Перед кончиной ему хотелось спросить ее: «Если жизнь такой драгоценный дар, то почему, черт возьми, Он отбирает то, что дарит?»

Разумеется, он этого не спросил. При всех своих недостатках она была его матерью. Шла на жертвы ради него. Самое малое, что он мог сделать, — позволить ей умереть в собственном заблуждении.

Но теперь ему больше не нужно заниматься бессмысленной суетой. «Давай признаем, — подумал он, — в этом безумном современном бардаке, именуемом обществом, правильнее быть антисоциальным, нежели частью бессмысленного стада, в которое превратилось человечество».

Взять, к примеру, сегодняшний день. Среда — бродвейские музыкальные театры дают дневные представления. И вокруг бессмысленно кишат толпы идиотов, приехавших из своих городишек и пригородов, чтобы выложить сотню долларов за билет ради еще больших идиотов в шутовских костюмах, поющих глупые любовные песенки. Это искусство? Лучшее из того, что может предложить жизнь?

И кругом не только провинциалы и недоумки из пригородов. За углом, на Сороковой улице, он миновал якобы очень расстроенных, информированных репортеров и фотографов из «Нью-Йорк таймс», валящих в новое здание редакции раболепно отработать еще один день в министерстве правды. «Ура линии демократической партии, товарищи! — захотелось ему крикнуть. — Приветствуем тебя, Большой брат, и еще большее либеральное правительство!»

Приближаясь к Музею восковых фигур мадам Тюссо, Учитель замедлил шаг. Туристы толпились вокруг куклы Человека-паука в натуральную величину перед зданием. Он с отвращением покачал головой. Он шел по земле мертвых.

— Пятьдесят долларов? За «Ролекс»? — донесся из толпы голос с южным акцентом. — Идет!

В десяти футах впереди худощавый молодой человек с выбритой головой собирался отдать деньги негру из Западной Африки, сидевшему за складным столом с поддельными часами.

Учитель улыбнулся. В его взводе было много южан — неплохих людей из маленьких городков, все еще веривших в наивные вещи вроде патриотизма, хороших манер и долга.

Останавливаться Учитель не собирался, но, увидев на предплечье парня татуировку морских пехотинцев — бульдога, не удержался.

— Привет, приятель, — сказал он парню. — Думаешь, действительно получишь «Ролекс» за пятьдесят долларов?

Молодой морпех уставился на него недоверчиво, но явно желая получить совет от человека, знающего эти дела.

Учитель снял свой «Ролекс-экплорер», дал его парню и взял у него подделку.

— Чувствуешь, какой тяжелый? — спросил он. — Это настоящий. А это, — он бросил поддельный «Ролекс» в грудь мошеннику, — дерьмо.

Крепко сложенный африканец начал было гневно подниматься, но Учитель взглядом заставил его сесть на место.

Молодой южанин робко улыбнулся.

— Господи, какой я дурак. Две недели как вернулся из Ирака, прослужил там год, казалось бы, должен был чему-то научиться.

И протянул Учителю его «Ролекс». И тот, глядя на часы, вспомнил, что купил их, когда ему было двадцать восемь лет.

«Черт с ними, — подумал он. — С собой не возьмешь».

— Они твои, — сказал Учитель. — Не волнуйся, ты мне ничего не должен.

— Ка-ак? — изумленно протянул молодой человек. — Что ж, спасибо, мистер, но я не могу...

— Слушай, морпех. Я находился здесь, когда террористы разрушили башни Торгового центра.

Не будь все в этом городе таким дерьмом, они чествовали бы тебя и других солдат, рисковавших жизнью на Ближнем Востоке, американских героев. Отомстить сполна этому грязному городу — самое малое, что я могу для тебя сделать.

«Только посмотри на него — мистер Щедрость неожиданно повел себя как бойскаут».

Руки чесались опрокинуть стол с часами на колени злобному жулику, но время для этого было неподходящим. «Может, я еще вернусь сюда», — подумал Учитель, продолжая широкими шагами свой путь.

Глава тридцать первая

Через двадцать минут Учитель с купленным за сто семьдесят пять долларов букетом желтых и розовых роз вошел в просторный вестибюль отеля «Плэтинем стар» на Шестой авеню.

Сияющий белый мрамор, покрывающий пол и тридцатифутовые стены, завораживал. Потолок украшали роспись в духе Возрождения и громадные хрустальные люстры. Он благоговейно покачал головой, глядя на лепнину, словно отлитую из золота.

Иногда эти недоумки знают, что делают.

Учитель со взволнованным видом поспешил к регистратуре и положил букет на мраморную стойку перед миловидной брюнеткой-портье. Цветы явно произвели на нее впечатление.

— Скажите мне, пожалуйста, что я не опоздал, — попросил он, складывая в мольбе руки. — Эти цветы для Мартины Бруссар. Она еще не выписалась, а?

Молодая женщина улыбнулась нервозному поклоннику и забегала пальцами по клавиатуре компьютера.

— Вам повезло, — сказала она. — Мисс Бруссар еще здесь.

Учитель изобразил облегчение.

— Слава Богу! — И серьезно спросил: — Как думаете, они ей понравятся? Не слишком пышный букет? Я не хочу выглядеть безрассудным.

— Понравятся, — заверила брюнетка. — Они замечательные.

Учитель беспокойно прикусил ноготь большого пальца.

— Мы познакомились всего два дня назад, и я понимаю, это безумие, но утром вдруг осознал, что если позволю ей уехать, не сказав о своих чувствах, то никогда не прощу себе этого. Но хочу сделать ей сюрприз. Где мне лучше всего подождать, чтобы не прозевать ее?

Улыбка брюнетки стала шире. Теперь она была заодно с ним, радовалась, что содействует настоящей любви.

— Диваны возле лифта, — указала она. — Удачи вам.

Учитель сел, положив букет на колени. Рука скользнула под пиджак к пояснице, где за поясом находилось два пистолета. Он выбрал «кольт» двадцать второго калибра.

Не прошло и пяти минут, как мелодичный звон возвестил о прибытии лифта, и открылась одна из блестящих бронзовых дверей. Учитель встал, когда вышли пять стюардесс с логотипами «Эр Франс» на голубых шелковых шарфиках. Они могли бы стать манекенщицами. Или актрисами в таких фильмах, за которые отель взимает особую плату.

Увидев их, Учитель ощутил пустоту в желудке. При мысли о том, что собирается сделать, закружилась голова.

Мартина Бруссар шла первой. Шести футов ростом, вызывающе красивая, с длинными волосами, льющимися как светлый атлас, она ступила на мраморный пол с таким гордым видом, будто это демонстрационный подиум компании «Викториас сикрет» под названием «Ангел взлетно-посадочной полосы».

Учитель вскочил и бросился ей навстречу, протягивая букет:

— Мартина! С днем рождения!

Величественная блондинка остановилась, недоуменно глядя на цветы.

— День рождения? — спросила она с французским акцентом. — О чем вы говорите? До него еще три месяца. Мы знакомы?

В ее глазах появилось игривое выражение. Как и брюнетке-портье, ей нравилось увиденное.

Учитель затаив дыхание сунул «кольт» в букет стволом вперед. Неожиданно все затихло, замедлилось, стало невероятно безмятежным. Был он когда-нибудь таким спокойным? Таким свободным? Он чувствовал себя зародышем, плавающим в материнской утробе.

Когда он нажал на спуск, лепестки роз взлетели в воздух. Пуля попала ей чуть ниже левого глаза. Она рухнула на мраморный пол, даже не дернувшись, по лицу потекла кровь.

— Я сказал день рождения? — прорычал Учитель. — Прошу прощения. Я имел в виду день твоей смерти.

И еще дважды выстрелил в ее изящную грудь.

Остальные стюардессы с воплями разбежались. Учитель бросил цветы на тело Мартины, спрятал «кольт» и попятился к двери вестибюля.

Глава тридцать вторая

Швейцар отеля на своем посту снаружи придержал дверь, когда Учитель выходил из нее большими шагами. Очевидно, он не слышал приглушенных выстрелов, но теперь замер и уставился на перепуганных, вопящих француженок.

— Срочно вызывай полицию! — крикнул ему Учитель. — Там какой-то псих с пистолетом.

Швейцар сорвался с места. Учитель шел быстро, но без суеты, удаляясь, но не привлекая внимания. Миновав фонтан перед отелем, он достал из кармана джинсов «трео» и вывел на экран свой список.

Строка «стюардесса «Эр Франс» исчезла от легкого нажима большого пальца.

И вдруг он услышал визг тормозов за спиной. Дверцы машины распахнулись, раздалось очевидное потрескивание полицейского радио.

«Только не оглядывайся, — приказал себе Учитель. — Продолжай идти. Смешайся с толпой. У полицейских еще нет твоего описания».

— Это он! — заорал кто-то.

Учитель бросил быстрый взгляд через плечо. Швейцар на другой стороне площади указывал прямо на него. Из радиофицированной машины вылезали двое полицейских в форме, вытаскивая пистолеты.

Черт! Он думал, что швейцар, как и все остальные, будет слишком ошеломлен, чтобы действовать. Ладно, ничего страшного. Применяем план бегства номер два — у южного конца квартала вход на станцию метро «Рокфеллер-центр». Он быстро побежал.

Внезапно отовсюду появились десятки полицейских машин, перекрыв оба конца улицы. Тяжелый грузовик с грохотом въехал на тротуар.

Из него выскочил полицейский-спецназовец, опустился на колено и вскинул к плечу винтовку «М-16».

Черт возьми! Они появлялись, словно из ниоткуда. И он вдруг понял, что это из-за одиннадцатого сентября. Он не задумывался, как этот теракт изменил реакцию полицейских.

Учитель побежал изо всех сил и сделал единственно возможное — бросился очертя голову в лестничный пролет метро.

Ему повезло. Он не упал на бетонные ступени, а врезался в поднимавшуюся пожилую супружескую пару. От удара они рухнули навзничь, и он съехал на них, как на санках, до самого низа. Вскочил и побежал, безжалостно расталкивая людей. Свернул за угол, перепрыгнул через турникет и рванул по платформе.

Станция «Рокфеллер-центр», одна из самых больших в системе метро, представляет собой настоящие катакомбы переходов. Там четыре пути, две платформы и больше четырнадцати выходов на улицу, два из которых ведут в главный вестибюль Рокфеллер-центра — это подземный лабиринт, тянущийся в каждую сторону на несколько кварталов.

На бегу Учитель выдернул майку из джинсов, чтобы закрыть пистолеты, потом снял куртку от Гуччи и бросил в один из выходов. Он не беспокоился, что оставит след — через несколько секунд кто-нибудь схватит ее и скроется. Достиг еще одной лестницы и стремительно бросился вниз, перескакивая через четыре ступеньки, подгоняемый металлическим визгом приближающегося поезда.

Он подбежал ко второму вагону, как только двери открылись. «Да!» — подумал Учитель.

Но внезапный топот ног за спиной заставил его оглянуться.

— Остановите поезд! — услышал он крик полицейского. — Да! Да! Стой, машинист! Стой!

Бинг-бонг. Двери закрылись, словно все было в полном порядке. Как не любить этот чертов город? Тут все помешанные! Поезд, загудев, тронулся.

Учитель утер пот и взглянул на пассажиров полупустого вагона. Все уткнулись в газеты или книжки в бумажной обложке. Не лезь не в свое дело. Чертовски верно. Он стал смотреть на огни туннеля, мелькающие за окнами созвездиями голубых падучих звезд.

Невероятно — он снова свободен. Неостановим! Рука судьбы направляет его. Другого объяснения просто не существует.

Но едва он так решил, задняя дверь вагона с лязгом открылась, и показались, тяжело дыша, двое транспортных полицейских. Пожилой, крепко сложенный белый и молоденькая негритянка, должно быть, только что поступившая на службу. Оба держали руки на рукоятках «глоков», но не вытаскивали оружия.

— Замри! — крикнул старый фараон, но пистолета все же не вытащил. Какого черта он ждет? Письменного приглашения?

Учитель меньше, чем за секунду, выхватил оба ствола из-за пояса джинсов — «кольт» двадцать второго калибра в правой руке, сорок пятого в левой.

Теперь пассажиры обратили на него внимание. Широко раскрыли глаза, кое-кто с пронзительным криком вжался в сиденье или бросился на пол.

— Слушайте меня! — крикнул Учитель. — Клянусь, полицейские мне симпатичны. У меня нет к ним претензий, и я не хочу причинять вам вреда. Дайте мне уйти. Это все, что мне нужно.

Поезд приближался к станции на углу Пятьдесят первой улицы и Лексингтон-авеню. Машинист, видимо, все-таки понял, что случилось что-то неладное, и внезапно затормозил. Потерявшие равновесие полицейские потянулись за «глоками».

— Я сказал нет, черт возьми! — заорал Учитель. Левой рукой он выстрелил из «кольта» сорок пятого калибра в колено, пах и голову мужчине. Одновременно правой расстрелял последние четыре патрона поверх портупеи женщины. Нужно было не попасть в эти чертовы кевларовые бронежилеты.

Казалось, из ушей его брызнула кровь от грохота «кольта» сорок пятого калибра без глушителя, в голове словно взорвалось несколько крохотных бомбочек. Но вместе с ними бушевали эндорфины. Какой кайф! Не сравнимый ни с чем в мире.

Поезд, содрогнувшись, остановился, двери автоматически открылись. Ждущий на платформе бизнесмен хотел было войти в вагон, но, замерев на секунду, стремительно убежал.

Учитель собрался сделать то же самое, но тут позади него раздался выстрел, и пуля просвистела мимо уха. Он резко повернулся и замер.

Стреляла женщина-полицейский. Она лежала с простреленным животом на полу вагона, однако пыталась поймать его в прицел ходящего ходуном пистолета. Какое мужество под огнем!

— Великолепно, — искренне похвалил Учитель. — Ты заслуживаешь медали. Очень сожалею, что вынужден это сделать.

Он поднял «кольт» сорок пятого калибра и прицелился в ее испуганное лицо.

— Право, сожалею, — сказал он и нажал на спуск.

Глава тридцать третья

Я не мог поверить! Черт возьми, что происходит в этом мире? Когда мы заканчивали собрание опергруппы, стало известно, что в центре города стрельба поднималась дважды. По предварительным сообщениям, в районе Рокфеллер-центра какой-то мерзавец убил женщину и двоих транспортных полицейских.

Тот, кого мы искали. Сомнений больше не было.

Даже с включенной сиреной у меня ушло почти сорок минут, чтобы проехать через затор возле управления и добраться до места происшествия на углу Пятьдесят первой улицы и Лексингтон-авеню.

Над Ситикорп-билдинг завис полицейский вертолет, рокочущий, казалось, в такт с моим сердцем, когда я пробирался через толпу, бурлящую на полностью блокированной Пятьдесят первой улице.

Незнакомый сержант пропустил меня под желтую ленту у спуска в метро. Его унылое лицо сказало мне о том, чего я не хотел знать. Громкие звуки полицейских радиостанций и сирен сопровождали меня, пока я спускался в жаркий, тесный лестничный колодец.

В туннеле стоял поезд. Вдоль одного из передних вагонов толпились на платформе около двадцати полицейских. Я увидел на окровавленном полу стреляные гильзы и с первого взгляда понял, что было произведено несколько выстрелов.

Толпа полицейских раздалась, когда фельдшеры выкатили из вагона каталку. Все быстро обнажили головы. Грузный спецназовец рядом со мной перекрестился. Когда каталка приблизилась, я последовал его примеру, тряся головой, чтобы избавиться от внезапного онемения в груди.

Жертвой была молодая женщина из транспортной полиции. Я знал только, что ее звали Тония Гриффит, и не мог даже разглядеть лица, залитого кровью.

Я спросил одного из транспортных полицейских о напарнике Тонии и услышал, что его везут в больницу «Бельвью».

— Есть надежда? — спросил спецназовец.

Транспортный полицейский не ответил.

— Сукин сын, — произнес спецназовец, яростно стиснув кулаки. — Проклятый сукин сын.

Я не смог бы сказать это лучше.

За прошедший час все изменилось. Преступник убил одного, может, двоих наших. Ставки резко поднялись.

Теперь дело стало личным.

Глава тридцать четвертая

Я последовал за каталкой на улицу, фельдшеры подвезли ее к «скорой помощи» и перенесли туда Тонию Гриффит. Водитель захлопнул заднюю дверцу, сел в кабину и включил проблесковый маячок. Потом, видимо, передумал, выключил его и медленно влился в поток автомобилей. Спешить в морг незачем.

Провожая взглядом машину, ехавшую к Крайслер-билдинг, я поймал себя на мысли о работе в Эй-би-си. Хватит с меня стрельбы и смертей. По крайней мере именно так я считал в ту минуту.

Детектив Терри Лейвери, топая, поднялся по лестнице следом за мной.

— Майк, я только что разговаривал с начальником участка, — сказал он. — Стрелявший скрылся. Район тщательно обыскали в метро и на поверхности, останавливали автобусы и такси, но никаких следов.

Все это уже сообщил спецназовец.

«Сукин сын».

— Свидетели? — спросил я.

— Около дюжины. Они, конечно, перепугались, когда началась стрельба, но описания сходятся. Белый мужчина с черными волосами, в темных очках, одетый в джинсы и майку с рисунками. У него было два пистолета, сорок пятого и двадцать второго калибра. По пистолету в руке, как у Джесси Джеймса.

Я изумленно покачал головой. Человек убивает обученных, вооруженных полицейских одновременно из двух пистолетов? Словно в вестерне Джона Ву. Чтобы выхватить оружие, навести и выстрелить под огнем, требуется невероятный уровень мастерства и выучки.

— Либо он служил в спецподразделениях, либо это самый удачливый идиот в мире, — сказал я. — Будем надеяться, что последнее.

— Да, и вот еще, — продолжил Лейвери. — Он выкрикнул, что полицейские ему симпатичны, перед тем как открыть по ним огонь. Пытался их предостеречь, даже извинился перед Тонией Гриффит.

Черт возьми, помимо всего прочего, он еще и любит полицейских?

— С такими друзьями никаких врагов не нужно, — пробормотал я. — Ладно, собери все видеопленки, какие сможешь найти в видеосистемах метро и на улице. Я отправлюсь на другое место преступления.

Дойдя до угла, я увидел старого эмигранта с Ямайки, уличного торговца, подзывающего меня жестом и понадеялся, что у него есть какие-то сведения, но оказалось, он бесплатно угощает содовой всех, участвующих в расследовании.

— Моя дочь работает на «скорой» в Бронксе, — сказал он с заразительной улыбкой. — Это самое малое, что я могу сделать для всех вас, хороших людей.

Он отказывался брать у меня деньги, но в конце концов взял карточку вежливости. Может, она позволит ему избежать штрафа за нарушение правил уличного движения.

Блуждая в поисках своей машины, я подумал, что всякий раз, решив уйти из полиции, я совершенно ясно понимаю, почему этого не делаю.

Глава тридцать пятая

До отеля «Плэтинем стар» на Шестой авеню нужно было проехать всего пять кварталов. По пути туда я подвел итог скопившимся впечатлениям.

Похоже, после каждого преступления убийца прячется, потом внезапно появляется снова в другой одежде и совершает новое убийство. Вероятно, где-то в этом районе у него есть укрытие. Квартира? Номер в отеле?

Как показали свидетели, он заявил о симпатии к полицейским. Может, это не суть важно. Но поскольку этот человек хладнокровен и организован, это, по-моему, не случайно. Он вынужденно застрелил полицейских, чтобы скрыться.

А значит, он не убивал наобум, но выбирал мишени. Кроме того, отель «Плэтинем стар» также был шикарным заведением.

Моя ранняя догадка крепла: у него был план, как-то связанный с богатством.

И в отличие от типичного серийного убийцы этот стрелок не таился. Он делал свое дело средь бела дня, позволял себя увидеть. Что-то демонстрировал? Такие типы обычно стараются доказать, что они умнее полицейских. Дразнят нас, показывая, что могут безнаказанно совершать убийства и никогда не попадутся. Тогда почему он не связался с нами или с прессой?

Размышляя об этом, я остановил машину перед отелем.

По меньшей мере сотня полицейских толклись за желтой лентой, охватывающей два квартала вокруг отеля. Потрясенные конторские работники по другую ее сторону молча стояли разинув рты и ожидая продолжения. Жадное, маниакальное любопытство, обычное на месте преступления.

Люди определенно сходят с ума. И неудивительно. Даже по нью-йоркским меркам число жертв зашкаливало.

Я нашел детектива Питерс возле регистратуры. Она была по-прежнему собранной, но подавленной.

Бет повела меня по беломраморному вестибюлю к лифтам. Тело было накрыто простыней. Я присел на корточки и приподнял край.

Красивая женщина с гривой белокурых разметавшихся волос, с маленькими входными отверстиями на лице и в груди, в липкой лужице крови, натекшей на пол.

Букет цветов на ее груди и опавшие лепестки, усеявшие мрамор, казались данью уважения в человеческом жертвоприношении.

Отпечатанное сообщение с места преступления в клубе «Двадцать одно» всплыло в памяти, словно компьютерный файл.

«Твоя кровь — моя краска.

Твоя плоть — моя глина».

— Майк, понимаешь, что он хочет сказать? — спросила Бет. — Я в полном недоумении.

Я вернул простыню на место.

— Уверен, он говорит: «Поймайте меня».

Глава тридцать шестая

— Ее звали Мартина Бруссар, — сказала Бет Питерс, когда мы подошли к регистратуре. — Она работала стюардессой в компании «Эр Франс», должна была вылететь в два часа в Париж. Часов в одиннадцать высокий черноволосый мужчина входит в отель. Женщина-портье говорит ему, что он может подождать на диване у лифта. Когда Мартина появляется, он стреляет в нее в упор из спрятанного в розах пистолета. Один раз в голову, дважды в грудь. Настоящий обольститель.

Я испустил долгий, усталый вздох.

— Но есть и хорошие новости, — сказала Бет. — Пошли.

Она повела меня в большой кабинет за регистратурой и представила начальнику охраны отеля, бывшему агенту ФБР седовласому Брайану Нэврилу. Он нервно пожал мне руку. Видимо, после случившегося боялся, что станет и бывшим начальником охраны отеля.

— Думаю, я нашел кое-что для вас интересное. — Он жестом пригласил нас к письменному столу.

Нэврил вставил пленки из камер наблюдения в свой портативный компьютер и нашел кадр с видом регистратуры. Когда экран вспыхнул, нажал кнопку «увеличение», потом «стоп».

Появилось довольно четкое изображение мужчины в темных очках и дорогой кожаной куртке. Он держал букет роз и улыбался, очевидно, разговаривая с женщиной-портье.

Мы с Бет удовлетворенно переглянулись. Ура! Наконец-то веская улика! В темных очках портрет не самый лучший, но и далеко не худший. На столе уже лежала пачка отпечатанных для раздачи фотографий.

— Где портье? — спросил я. — Мне нужно поговорить с ней.

Ее звали Энджи Гамильтон. Это была маленькая, привлекательная брюнетка лет двадцати пяти. Когда Бет Питерс ввела ее в кабинет, она все еще выглядела потрясенной.

— Привет, Энджи, — поздоровался я. — Я детектив Беннетт. Понимаю, тебе сейчас тяжело, однако нам важно все, что ты можешь сообщить о человеке, застрелившем мисс Бруссар. Ты разговаривала с ним, так ведь?

— Он спросил, не выписалась ли Мартина Бруссар, — произнесла Энджи Гамильтон. — Сказал, что они недавно познакомились, и он принес ей цветы, потому что... потому что...

Она заплакала. Бет обняла ее и протянула бумажный платок. Энджи утерла слезы и запинаясь продолжила:

— Он с-сказал, что никогда не простит себе, если не откроет ей своих чувств. Я сочла это очень р-романтичным.

«Двойная удача», — подумал я, поймав взгляд Бет. Убийца спрашивал конкретно Мартину Бруссар. Он знал жертву. Теперь ясно, что мы ищем не убивающего наобум человека. И вероятность того, что это убийство связано с другими инцидентами, значительно увеличилась.

Мы совершили еще один прорыв и получили новое направление поисков.

— Энджи, как он вел себя? Казался нервозным? Самоуверенным?

— Самоуверенным нет, — ответила портье. — Слегка нервозным, но любезным... даже обаятельным. Из-за этого случившееся еще более ужасно. Я предложила ему подождать на диване, чтобы не прозевать ее, когда она выйдет из лифта. А он... он убил ее.

Энджи снова горько расплакалась.

На сей раз ее обняла не только Бет, но и я.

— Энджи, ты ни в чем не виновата, — сказал я. — Ты старалась помочь. Зло сеет этот сумасшедший, убивающий невинных людей.

Глава тридцать седьмая

Полицейские, первыми появившиеся на месте преступления, отвезли остальных стюардесс в участок Северного Манхэттена. Женщины из «Эр Франс» были совершенно невменяемыми до такой степени, что поначалу детективы слышали от них только французскую речь. Поскольку знание полицейскими французского ограничивалось фразой «Voulez-vous coucher avec moi ce soir?»*, послали за переводчиком, но тот пока не появился.

К счастью, я был не совсем типичным полицейским.

— Je suis vraiment desole pour votre amie**, — сказал я дамам, поднявшись в комнату для допросов. — Je suis ici pour trouver le responsible, mais je vais avoir besoin de votre aide***.

Кажется, они поняли, что мне требуется их содействие для поисков убийцы. Во всяком случае,

---

* Вы не хотите переспать со мной сегодня вечером? (*фр.*)

** Я искренне скорблю о вашей подруге (*фр.*).

*** Я здесь, чтобы найти преступника, но мне нужна ваша помощь (*фр.*).

я на это надеялся. В прошлом я неплохо владел французским, но подзабыл его. Возможно, мои слова означали нечто другое, например: «Вы не видели росомаху моей сестры?»

Как бы там ни было, великолепные женщины тут же меня обступили. До этого я ни разу не обнимался с пятью белокурыми француженками-супермоделями одновременно. Но тем не менее достойно вышел из положения, вспоминая декана, убеждавшего меня заниматься испанским, поскольку он более практичен.

Я показал им фотографию стрелявшего, сделанную с пленки из видеокамеры наблюдения. Одна из них, Габриэлла Моншекур, уставилась на нее широко открытыми глазами и что-то быстро затараторила. Заставив ее говорить помедленнее, я смог разобрать ее слова.

Ей казалось, что она видела убийцу раньше! Была не совсем уверена, но, может быть, на вечеринке компании «Бритиш эйруэйз» в прошлом году в Амстердаме — там было много летчиков разных авиалиний.

Еще один большой прорыв! Летчик! И новое подтверждение того, о чем я догадывался с самого начала — он не знал сомнений. Разве что на секунду. Ну и как? Моя дипломатия и неуклюжая попытка говорить по-французски принесли плоды. Ура!

Наконец у нас появилась достаточно надежная путеводная нить.

Я вышел с сотовым телефоном в холл и сообщил о прорывах в деле Макгиннессу.

— Отличная работа, Майк, — ошеломил он меня. Вторая фраза была почти такой же удивительной — он давал мне кабинет в полицейской академии на Двадцатой улице и десять детективов под мое начало.

Честно говоря, меня озадачила подобная смена начальственного настроения.

Глава тридцать восьмая

Руки были заняты пакетами с продуктами, и Учителю пришлось ногой закрыть обшарпанную дверь квартиры в Адской кухне. Он положил продукты на кухонный стол, бросил пистолеты на холодильник и надел передник, аккуратно завязав бант. Как и вчера, он был очень голоден.

После полудня на фермерском рынке в северном конце Юнион-сквер продуктов было мало, но он все же отыскал свежий бельгийский цикорий и белые грибы. Они требовались для гарнира к превосходной говядине, купленной в магазине «Бальдуччи» на Восьмой авеню.

Для такого гурмана, как он, вид свежих продуктов на рынке был единственным способом решить, что готовить на ужин.

Посыпав бифштекс нарезанными грибами, он не смог удержаться от просмотра новостей. Вымыл руки, зашел в гостиную и включил телевизор. Сначала появились зависший вертолет и множество полицейских. Репортеры носились туда-сюда, расспрашивая на улице перепуганных людей.

Учитель покачал головой и глубоко вдохнул, вспомнив перестрелку с полицейскими. Даже при своей выучке и безошибочной интуиции он легко мог бы там погибнуть — еще одно свидетельство, что его дело было правильным, единственно правильным. После боевого крещения он почувствовал себя еще более целеустремленным, непобедимым.

Возвратясь в кухню, он поставил чугунную сковородку на электроплиту «викинг» и включил конфорку на полную мощность. Когда от сковородки пошел легкий дымок, он налил в нее оливкового масла и положил бифштекс, громко, приятно зашкварчавший.

Дымный запах напомнил о первой встрече с отчимом в мясном ресторане Питера Лагера в Бруклине. Когда мать с отцом разошлись, ему было десять лет. Он остался с матерью, и теперь она хотела познакомить его со своим новым кавалером.

Его красавица мать работала секретаршей в инвестиционном банке «Голдман Сакс», и кавалер оказался ее боссом, Рональдом Мейером, возмутительно богатым и возмутительно старым, специалистом по выкупу долей заемных средств.

Невысокий, болезненный старик с лягушачьим лицом упорно старался с ним подружиться. Учитель вспомнил, как сидел в ресторане, неотрывно глядя на трясущегося от старости финансиста, разрушившего их семью, и испытывая неодолимое желание вонзить столовый нож в его волосатую правую ноздрю.

Вскоре мать стала женой Рональда Мейера, и Учитель вместе с ней переехал в его квартиру на Пятой авеню. Неожиданно, словно герой из волшебной сказки, он попал в странный новый мир искусства и оперы, загородных клубов, слуг, Европы.

Как быстро улетучился его изначальный гнев! С какой отвратительной легкостью и безоглядностью ввела его в бездумный ступор роскошь нового, лучшего образа жизни!

Но теперь Учитель понимал, что гнев никуда не девался. Он лишь нарастал, мучая его изо дня в день все эти годы, дожидаясь выхода.

Он перевернул бифштекс и откупорил бутылку «Дома Гассак», которую приберегал для особого случая. Налил высокий стакан и поднес его к яркому свету, лившемуся в западное окно.

Мысли о капризном отчиме, Ронни, вызвали у него улыбку и отвращение. Мейер оплачивал ему все — одежду и машины, отдых и образование в одном из старейших университетов.

Потом был выпуск в Принстоне. Неуклюжее объятие, которое пришлось вытерпеть. Отвратительное «Я так горжусь тобой, сынок» из темно-каштановых губ девяностолетнего старца. До сих пор по коже бежали мурашки при одной лишь мысли о родственной связи с ужасающим, рыже-волосым скелетом, на деньги которого жила его мать.

— Старая мразь, следовало убить тебя, пока существовала такая возможность, — вздохнул он. — Нужно было убить тебя при знакомстве.

Глава тридцать девятая

Я решил поехать в «Бельвью», посмотреть, можно ли поговорить с раненым транспортным полицейским.

По пути туда я вдруг осознал нечто для себя новое. После одиннадцатого сентября жители Нью-Йорка стали опасаться за свою безопасность. «Пуганая ворона куста боится», — подумал я.

Под тентами отелей на юге Центрального парка толпились туристы, беспокойно поглядывая по сторонам. Толпа взволнованно следила за последними новостями по громадному телевизору на здании Си-би-эс. Тротуары на Лексингтон-авеню были забиты конторскими работниками, стоявшими перед современными стеклянными башнями. Тараторя в сотовые телефоны и отправляя текстовые сообщения по смартфонам «блэкбери», они словно бы ждали приказа об эвакуации. Казалось, в утренние часы пик люди спасаются бегством, вливаясь в двери Центрального вокзала.

«Может, все это взаимосвязано? — внезапно подумал я. — Убийца хотел нагнать как можно больше страху?»

Если так, он должен быть доволен, ведь его план осуществляется блестяще.

Я не хотел парковать «шевроле» у скопища полицейских машин, блокировавших вход в пункт неотложной помощи больницы «Бельвью», и, поставив его в стороне, вошел через служебную дверь.

Эд Корзеник, старый полицейский, получивший ранения, все еще находился в операционной. Направленная в голову пуля чудом лишь царапнула череп. Врачи пытались извлечь из его мочевого пузыря пулю сорок пятого калибра с полым концом.

У Эда была большая семья, и в комнате для ожидающих находились жена, мать, братья и сестры. При виде их горя у меня вдруг возникло настоятельное желание позвонить домой.

Ответил Брайан, мой старший. Он, конечно, понятия не имел, чем я занят, даже о том, что творилось на улицах, и я был рад этому. Мы поговорили о спорте, о бейсбольной команде «Янки» и спортлагере «Джетс». Я вдруг осознал, что ему скоро исполнится тринадцать. Господи, у меня будет полная квартира подростков, верно?

Я с улыбкой прекратил разговор. Эти двадцать минут стали лучшими за день.

Глава сороковая

Потом я решил осуществить запланированное с утра — заехать в редакцию «Нью-Йорк таймс» и поговорить с Кэти Кэлвин. Настало время пообщаться. Точнее, поругаться. Я хотел узнать у нее кое-что. Главным образом, какого черта она выдумывает версии и намекает, будто я ее источник?

С трудом преодолев путь до Сорок второй улицы, я сообразил, что редакция «Таймс» находится уже не там. Пришлось напрягать память, дабы вспомнить, что она теперь в новом административном здании на Сороковой улице.

В сверкающем вестибюле я сказал охраннику, что мне нужно видеть Кэлвин. Он нашел ее фамилию и сообщил, что она на двадцать первом этаже.

— Минутку, — окликнул он меня, когда я направился к лифтам. — Я должен дать вам пропуск.

Я показал ему полицейский значок, пристегнутый к галстуку.

— У меня есть свой.

Двадцать первый этаж находился дальше, чем я когда-либо проникал на вражескую территорию.

В его коридорах мой значок вызывал беспокойные и неприязненные взгляды. Я нашел Кэлвин в одной из кабинок, где она остервенело стучала по клавиатуре.

— Очередная ложь для последнего выпуска? — осведомился я.

Возбужденная Кэти повернулась ко мне на вращающемся кресле.

— Привет, Майк! Рада тебя видеть.

Она дружелюбно улыбнулась, но я холодно оборвал ее:

— Не надо! Даже не заикайся, как я замечательно выгляжу. Только скажи, почему добиваешься моего увольнения? Злишься, что не выболтал тебе лишнего?

Ее улыбка исчезла.

— Я не добиваюсь... твоего увольнения...

— Меня не волнуют твои выдуманные источники информации. Но когда намекаешь, что твой секретный осведомитель — я, это становится моим делом.

— Как ты смеешь обвинять меня, будто я что-то выдумываю?!

Нужно отдать Кэлвин должное: она знала, что лучший способ защиты — нападение.

— Значит, говоришь, я рассказывал тебе об убийце? Напомни, когда это было? Может, у тебя есть магнитофонная запись, чтобы освежить мою память?

— Господи, какой ты самонадеянный, — презрительно усмехнулась она. — Тебе хоть раз приходило в голову, что у меня могут быть и другие источники?

— И кто же это? Кто еще мог сказать тебе чушь о «всего одном убийце» и «переодевании, чтобы избежать поимки»?

Она внезапно заколебалась:

— Послушай, не знаю, можно ли говорить с тобой об этом... Мне нужно согласовать с моим...

Я положил руку ей на плечо и усадил на место, не грубо, но довольно решительно.

— Я стараюсь поймать убийцу, — сказал я. — Выкладывай, что знаешь. Все. Немедленно.

Кэлвин закусила губу и закрыла глаза.

— Это он.

— Он? Что это значит, черт возьми? — Я сжал подлокотники кресла и наклонился к ее лицу. — Признавайся, Кэти. Терпение мое на исходе.

Я видел с мрачным удовлетворением, что она потрясена.

— Убийца, — прошептала Кэти.

Я отпрянул от нее, словно получил удар в лицо.

— Вчера днем он связался со мной по электронной почте, — сказала Кэлвин. — Написал, что хочет предотвратить возможность неверного истолкования. Я подумала, он помешанный, но он начал описывать все. Что, когда, где и даже почему.

Я достаточно долго терпел, чтобы получить какие-то сведения.

— Скажи почему, — потребовал я. — Что, когда и где я уже знаю.

— Он толкнул девицу под поезд, убил продавца в «Поло» и метрдотеля в клубе «Двадцать одно», потому что, цитирую: «хочет привить этой гнусной дыре хорошие манеры». Еще сказал, что обычным, порядочным людям нечего беспокоиться, но если ты подонок, твои дни сочтены.

— Черт возьми, кем вы себя считаете, скрывая это от полиции?! — возмутился я. — Не можете же вы быть настолько глупы!

— Успокойся, Майк. Мои редакторы заседали весь день, решая, сообщить ли вам об этом. И, как я слышала, склоняются к полному раскрытию. И вот еще что. Это подсластит сделку. — Она взяла со стола лист бумаги с печатным текстом и протянула мне. — Это его, как он называет, «объявление о миссии». Хочет, чтобы мы опубликовали.

Я вырвал лист из ее руки.

Глава сорок первая

«ПРОБЛЕМА

Кое-кто считает, что сейчас главная проблема — меркантильность. Я не согласен. Нет ничего дурного в вещах, ничего дурного в богат-

стве, в обладании красотой или в любви к красоте.

Дурно похваляться своими вещами, богатством, красотой.

Это болезнь.

Я люблю наше общество, нашу страну. Никогда еще в истории человечества не было страны, предназначенной для человеческой свободы. Но человеческая свобода требует достоинства: уважения к себе и окружающим.

В этом отношении мы сильно отклонились от курса. Большинство из нас в глубине души понимают, что мы ведем себя дурно. Но последствия подобного поведения достаточно редки, и мы продолжаем ежедневно совершать бесчестные и неуважительные поступки.

Вот почему я решил действовать.

Отныне кара за вызывающее поведение — смерть.

Я могу быть кем угодно. Вашим соседом в поезде, когда вы включаете свой айпод, или в ресторане, когда вынимаете сотовый телефон.

Подумайте хорошенько, прежде чем сделать что-то, чего, как вы прекрасно знаете, делать не следует.

Я наблюдаю.

С наилучшими пожеланиями
Учитель».

Я трижды перечел текст и отложил лист.

Мне потребовалась всего секунда на принятие решения — эту встряску Кэти Кэлвин запомнит на всю жизнь. Я снял с ремня наручники и завел ей руки за спину.

— Что ты делаешь?! — испугалась она.

— То, что ты думаешь, — ответил я. — Твои права тебе зачитают в участке.

Она пронзительно завопила, когда я защелкнул второй браслет на ее тонком запястье, а по коридору к нам уже спешила группа белых людей среднего возраста с галстуками-бабочками и закатанными рукавами рубашек.

— Я редактор отдела городских новостей, — сказал один из них. — Что, черт побери, здесь происходит?

— Я городской полицейский, — ответил я, — и арестовываю эту женщину за препятствование отправлению правосудия.

— Вы не имеете права, — заявил молодой выпускник престижного университета, шагнув ко мне. — Слышали когда-нибудь о Первой поправке к Конституции?

— Слышал, к сожалению, и терпеть ее не могу. А вы слышали когда-нибудь о «черном воронке»? Вам придется посидеть в нем, если не уйдете с моей дороги. А почему бы вам, собственно, не окончить свое редакторское совещание в Центральной тюрьме?

Несмотря на их возмущение, реальность оказалась сильнее. Они отступили, и я повел Кэлвин в наручниках прочь.

— Молчи и не дергайся, иначе добавлю к обвинению сопротивление при аресте, — сказал я, и ей хватило ума подчиниться. Она шмыгала носом, глядела на меня полными слез глазами, но больше не спорила.

Охранник в вестибюле, увидев нас, вскочил с изумленным видом.

— Спасибо. Нашел ее, — сообщил я.

Выйдя из здания, я прислонил Кэлвин к капоту своего «шевроле», а сам отошел в сторонку и сделал несколько телефонных звонков — справился, как идут дела, но хотел, чтобы она думала, будто я говорю о ее аресте.

Только после этого, очень неохотно, я снял наручники.

— Ты считаешь все это игрой, но это не игра, — сказал я. — Твои журналистские фокусы, возможно, стоили жизни нескольким людям. Надеюсь, тебя повысят в должности, и ты по-прежнему будешь жить в мире сама с собой.

Отъезжая, я взглянул в зеркало заднего обзора и увидел, что она все еще стоит на тротуаре, закрыв лицо ладонями.

Глава сорок вторая

Мой новый кабинет в полицейской академии оказался наскоро перестроенной раздевалкой на третьем этаже, но я не жаловался: здесь было самое главное — стол и телефон. Доску объявлений украшала фотография Учителя с нарисованным на лице перекрестьем снайперского прицела.

Мы работали.

Позвонив Макгиннессу и уведомив его о последних событиях, я собрал свою команду детективов. К счастью, в нее входила Бет Питерс. Я попросил ее размножить объявление Учителя о своей миссии и раздать экземпляры остальным.

— Бет, нужно заняться авиакомпаниями, — сказал я. — Отправь им снимок и попроси прислать нам фотографии летчиков с документов, чтобы их просмотрела мадемуазель Моншекур. Сосредоточься на компаниях, обслуживающих международные линии, особенно на «Бритиш эйруэйз». Если потребуется помощь федералов, позвони Тому Лэму на Федерал-плаза, двадцать шесть. И попробуй найти торговца цветами, продавшего букет убийце.

— Qui, qui*, начальник, — кивнула Бет.

Я повернулся к своей группе.

— Надеюсь, теперь мы сумеем добиться каких-то результатов, — сказал я и стал раздавать конкретные задания. Командовать я не привык, но все подчинялись быстро и как будто с охотой. Пожалуй, попробую покомандовать дома.

---

* Да, да (фр.).

Детективов девятнадцатого участка вновь отправил в магазин «Поло» и клуб «Двадцать одно» показать там фотографии и расспросить служащих, в том числе и не работавших в день убийства. Может, Учитель бывал там раньше, и кто-нибудь вспомнит его фамилию.

Но они ничего не добились, кроме раздражения служащих и недоброжелательности клиентов. Под описание убийцы не подходил никто.

Тем временем я связался с баллистической экспертизой и спросил, передал ли им медэксперт пули, убившие Тонию Гриффит.

— Да, они у нас, — ответил старший техник Терри Миллер. — Концы пуль двадцать второго калибра сплющились. Но я все-таки обнаружил пять полей нареза, пять бороздок и дефект слева в стволе. Такие же следы на пуле, убившей метрдотеля. Я уже во сне узнаю эту пулю.

Хорошее очко в нашу пользу. Когда возьмем этого человека, предъявим ему вещественные доказательства.

Во время затишья между срочными делами я садился и перечитывал манифест, который дала мне Кэти Кэлвин. «Отныне кара за вызывающее поведение — смерть?» А я-то считал монахинь в классической школе суровыми. Этот человек возомнил себя Учителем, но в действительности был скорее линчевателем.

Что именно побудило его к этому? Тот факт, что кто-то богаче? Определенно нет. Он не выбирал своих жертв наобум. Должно быть, он раньше общался с ними, раз был оскорблен до такой степени. Деньги у него явно есть.

Я долго разглядывал фотографию. Он не выглядел психически неуравновешенным, отшельником, аутсайдером, как Берковиц или убийцы в школе «Колумбайн» и Виргинском политехническом институте. Он был улыбчивым и казался самоуверенным — сильный, красивый мужчина.

Черт возьми, что стряслось с этим человеком?

Глава сорок третья

Около шести часов я сидел в кабинете перед только что установленным компьютером. Все детективы были на задании. В дверь постучали, и на пороге появилась Кэти Кэлвин, явно взволнованная.

— Как тебе удалось отыскать меня здесь? — удивился я. — Я поражен.

— Оставь, Майк. Пожалуйста. Я пришла... даже не скажу, что извиниться. Понимаю, это бессмысленно.

Она была права, и я собрался было это подтвердить. Но она казалась искренней. Я заметил, что Кэти сменила боевую форму деловой женщины на легкое летнее платье и выглядела более мягкой, женственной — очень хорошенькой.

— Я не арестовал тебя, но это не значит, что все позади, — сказал я. — Управление займется вашими редакторами.

— Они того заслуживают. Я не обвиняю только их. Я знаю, как дурно поступила сама. Просто... — Она вошла в комнату, оставив дверь приоткрытой. В неподвижном, теплом воздухе я ощущал запах ее духов. — Эта работа сводит с ума, — заговорила она. — Соперничество невероятное. Оно превратило меня в чудовище. Осознав, что наделала, я очень расстроилась.

Кэлвин подошла ближе. Она явно жаждала утешения, и, признаюсь, у меня возникло желание заключить ее в объятия и позволить прижаться лицом к моей груди.

Но я легко справился с этим порывом.

— Кэти, моя работа тоже не сделала меня лучше, — сказал я. — Однако нужно знать, где провести черту. Думаю, если однажды я не сумею понять этого, сдам полицейский значок.

Мой тон полностью соответствовал словам. Кэти застыла.

— Оставляю тебе свои мирные предложения. — Она достала из сумочки конверт и, бросив его на стол, отступила к двери. — Можешь и впредь ненавидеть меня, Майк. Просто хочу сказать тебе, что на самом деле я совсем не такая. Нет.

И вышла.

«Конечно, не такая, — подумал я. — До следующего раза, когда это будет выгодно».

В конверте была распечатка отправленного ей по электронной почте сообщения Учителя.

А внизу он оставил псевдоним для отправки мгновенных сообщений по системе Яху: УЧ.

Сквозь стиснутые зубы я обозвал Кэлвин сукой за то, что сразу не дала мне эту распечатку. Какие там, к черту, мирные предложения. Я сел за стол и стал обдумывать дальнейшие действия.

Найти след было трудно. Чтобы добиться помощи интернет-компании, требовалось получить распоряжение суда, да и в этом случае могло оказаться, что сообщение пришло из публичной библиотеки или колледжа.

Я решил, что на это у нас нет времени и рискнул ударить вслепую. Быстро создал себе псевдоним.

И отправил сообщение Учителю.

МАЙК10: Получил твое объявление о миссии.

Последовавшее за этим потрясло меня. После краткой паузы пришел ответ.

УЧ: Что ты подумал?

Это был он!

МАЙК10: Очень интересно. Мы можем встретиться?

УЧ: Ты полицейский, так ведь?

Я заколебался и решил, что лгать не нужно. Обращаться с этим человеком как с глупцом бессмысленно.

МАЙК10: Да. Детектив из полицейского управления.

УЧ: Майк, я не хотел убивать тех полицейских. Полицейские мне симпатичны. Они — немногие в этом мире, кто еще верит в добро и зло. Но мне нужно было скрыться. То, что я делаю, значительнее, чем даже жизни двух хороших людей.

МАЙК10: Может, я смогу помочь тебе распространить твое объявление?

УЧ: У меня все в порядке, Майк. Смерть и убийства привлекают восторженное внимание людей. Они жадно ловят слухи.

Глава сорок четвертая

Тогда я решил испробовать другую тактику.

МАЙК10: Может, поговорив с кем-нибудь, ты сумеешь решить свою проблему другим образом.

УЧ: Даже не думай об этом. У меня нет проблем. Люди думают, будто могут безнаказанно унижать других и дальше. Почему? Потому что у них есть деньги. Но это не освобождает от человеческих обязанностей.

МАЙК10: У продавца, метрдотеля и стюардессы денег не было. Тебя, должно быть, раздражало в них что-то другое. Я искренне хочу тебя понять, так что скажи, пожалуйста, почему ты убил их?

УЧ: Убил?

МАЙК10: Ведь ты застрелил этих людей?

УЧ: Конечно. Я только против этого слова. Оно означает, будто эти уничтоженные мной животные были людьми. Их семьи должны прочесть молитву и возблагодарить меня за освобождение этих жалких слизняков от постыдного рабства, каким было их существование.

«Кое-что проясняется», — подумал я.

МАЙК10: Ты вершишь Божий суд?

УЧ: Иногда я думаю так. Не могу утверждать, что знаю, каким образом Бог вмешивается в дела этого мира. Но, возможно, через меня. Почему нет?

«Учитель? Этот человек законченный псих».

МАЙК10: Я не могу поверить, что Бог хочет, чтобы ты убивал людей.

УЧ: Пути Господни неисповедимы.

МАЙК10: Что ты собираешься делать дальше?

УЧ: Зачем тебе знать? Я сказал тем полицейским и скажу тебе: не стой у меня на пути. Понимаю, ты считаешь, что должен схватить меня, только на твоем месте, Беннетт, я бы серьезно подумал. Потому что если ты или еще кто-то встанет между мной и моим делом, клянусь Всемогущим Богом, я уничтожу вас, вы даже глазом моргнуть не успеете.

«Черт возьми, он знает мою фамилию! Должно быть, догадался по статье в «Таймс». Почему Кэлвин не обнародовала мой домашний адрес?»

МАЙК10: Что ж, придется рискнуть.

УЧ: Так думать опасно. Так думали те двое в вагоне метро. И я их тут же уничтожил. Когда будет опубликовано объявление о моей миссии?

Я пригладил ладонями волосы, заставляя смятенный мозг соображать быстрее. Публикация этого объявления явно была для него очень важна. Может, мы сумеем использовать это, чтобы вызвать его на разговор.

МАЙК10: Мы не можем допустить этого. Пока не получим чего-нибудь взамен.

УЧ: Я оставлю тебя в живых. Это мое последнее предложение.

Я удачно подавлял гнев, но в конце концов он все-таки прорвался. Меня тошнило от этого самонадеянного убийцы полицейских. Не сумев сдержаться, я дал ярости волю.

МАЙК10: В таком случае твой сумасбродный манифест попадет не на первую полосу, а в корзину для бумаг. Понял, спятивший идиот?

УЧ: Из-за тебя умрут другие, фараон. Я буду убивать двух человек в день, если мое объявление не опубликуют. Ты даже не представляешь, с кем имеешь дело. Мое объявление станет известно миру, даже если придется написать его твоей кровью. ПП. ТГФ.

Я сидел, глядя на экран. ПП означало «поговорим потом». Я знал. У меня было четверо малолетних детей. Но что значит ТГФ? Ты такой-то такой-то.

Потом я понял. «Ты глупый фараон».

Я повернулся и уставился в перекрестье на лице Учителя на стене, представляя, как мой палец жмет на спусковой крючок.

Да. Для выстрела в тебя, УЧ.

ЧАСТЬ ТРЕТЬЯ
УРОКИ ЖИЗНИ

Глава сорок пятая

Сидя в тишине своей темной гостиной, Учитель бросил на диван «трео» и допил остатки «Дома Гассак».

Он улыбнулся, когда шар сладкого огня мягко взорвался в желудке. Включил телевизор и прошелся по каналам. Не только первый городской, но и национальные сети вели передачи о стрельбе в отеле и метро.

Люди на улице выглядели мрачными, совершенно ненормальными. «Господи, это забавно», — подумал он. Приятно было смотреть на их лица. Он засмеялся, слушая интервью с весьма озабоченным полицейским. Это не МАЙК10? Дурачок, только что неуклюже убеждавший его остановиться?

Он схватился за живот от охватившего его хохота над всем этим. Глаза увлажнились.

— Лучше, чем «Диснейуорлд» Четвертого июля, — сказал он экрану, утирая слезы веселья.

Учитель выключил телевизор пультом дистанционного управления и откинул до отказа спинку кресла, думая о француженке, которую убил. Она была даже привлекательнее манекенщицы — с более рельефной фигурой, естественная, изысканная. Она буквально осветила вестибюль своей женственностью и сексуальностью.

Теперь она так же мертва, как фараоны в пирамидах. Как оборотная сторона Луны. Мертва на веки вечные, аминь.

Так ей и надо, черт возьми, ей и всем остальным, считающим, будто могут порхать по жизни благодаря своему виду и банковским счетам. Гордость предшествует падению. Пусть это станет для них уроком.

«Спятивший идиот? — подумал он, закрыв глаза и вспомнив текстовое сообщение полицейского. — Ну-ну. Не слишком ли это грубо? В конце концов спятивший идиот для одного может быть для другого мстящим носителем справедливости — быстрым, неотвратимым, безупречным».

Глава сорок шестая

В одиннадцатичасовых вечерних новостях шел без рекламных вставок репортаж об убийствах. Репортеры и ведущие весьма критически отзывались о действиях полицейского управления. Журналисты Эй-би-си даже расспрашивали людей на улице, считают ли они, что делу уделяется достаточно внимания.

Ожидавший автобуса тощий налогоплательщик ответил с уничижительной усмешкой:

— Полицейские никуда не годятся. Моя четырехлетняя дочь и та могла бы схватить этого типа.

— Тогда чего мы ждем?! — зарычал я на экран. — Кто-нибудь, приведите сюда этого ребенка!

Я скомкал обертку от бутербродов, запустил ею в продолжавшего тараторить подонка и отвернулся, потирая глаза.

Я уже отправил объявление Учителя о миссии и наш текстовой диалог агенту Лэму, чтобы выяснить, не осенит ли отдел документации ФБР какое-то новое озарение, но ответа пока не получил. Габриэлла Моншекур, подруга Мартины Бруссар, согласилась посмотреть фотографии персонала авиалиний в надежде, что узнает Учителя в летчике, которого видела на вечеринке. Но снимки до сих пор не пришли, а утром она должна была вылететь в Париж.

И если наш убийца верен слову, новый день принесет не только рассвет. Время не ждет, как часто напоминала нам учительница в седьмом классе, сестра Доминика.

В конце концов я счел, что пора перейти к решительным действиям. Отправил двух полицейских из Северного Манхэттена отвезти мадемуазель Моншекур в аэропорт имени Кеннеди и позвонил в отдел собственной безопасности авиалиний. Я уже неоднократно общался с ними, но теперь недвусмысленно заявил: если к моему приезду фотографий не будет, полицейское управление сочтет, что кто-то из них покрывает убийцу и рейсы этих авиалиний отменят до тех пор, пока ситуация не прояснится. А это может занять несколько дней.

Угроза подействовала. Незадолго до полуночи мои люди в аэропорту Кеннеди сообщили, что свидетельница рассматривает снимки.

Я решил сделать перерыв, пока не свалился. Объявил, что мой сотовый будет включен и поехал домой узнать, как там больные.

Добрался я быстро и обнаружил в столовой Симуса, наливающего виски «Джеймсон» в пластиковую детскую чашку.

— Ну что вы, монсеньор! — удивился я. — У нас есть стаканы для взрослых в ящичке над холодильником. Можете налить заодно и мне.

— Очень смешно, — сказал Симус. — Можно подумать, я делаю это для себя! У бедного Рикки так разболелось горло, что я решил дать ему народного, как говорится, лекарства. Нет такой болезни, которую не вылечит капелька виски с горячим молоком и сахаром.

Я не поверил своим ушам.

— Вы не упали с алтарных ступеней? — спросил я, забирая у него бутылку. — Ваше народное лекарство приведет нас в суд по семейным делам. Не могу поверить, что должен сказать вслух: «Не давайте детям виски!»

— Ну и ладно, — обиделся Симус, беря свой пиджак. — Делай что знаешь. Скажи Рикки, пусть держится как мужчина. — И ушел.

Я решил, что лучше все-таки не пить, и, нехотя убрав бутылку, позвонил своим детективам в аэропорт. Стюардесса просмотрела альбомы компаний «Дельта» и «Аэр-Лингус», но никого не узнала.

«Бритиш эйруэйз» все еще медлила. У них был альбом с фотографиями летчиков, но они ждали разрешения от своего главного администратора, отдыхавшего где-то в Итальянских Альпах.

— Понятно, — сказал я. — Сейчас все предпочитают итальянскую сторону Альп. Швейцарский Санкт-Мориц переполнен. Сообщите ему, что, когда погибнет очередная жертва, мы пришлем ему в номер снимки с места преступления вместе с утренним кофе.

Прекратив разговор, я решил заночевать дома. Пошел в ванную, чтобы принять душ. Но когда отдернул занавеску, со мной чуть не случился сердечный приступ.

Моя пятилетняя Шона спала в ванне.

— Что ты здесь делаешь, цветочек? — спросил я, вынимая ее оттуда. — С каких пор подушки стали игрушками для ванны?

— Папа, я не хотела больше пачкать, чтобы тебе не пришлось убирать, — прохрипела она.

Когда я уложил ее в постель, она начала дрожать. Глядя на нее, я задал себе вопрос, то и дело возникавший у меня в течение последнего года.

Что сделала бы Мейв? Я взял в кладовой фонарь, вернулся в комнату Шоны и стал шепотом читать ей любимые сказки, пока она не заснула.

— Мейв, как у меня получается? — спросил я, выйдя в коридор. — Ты не волнуйся. И спи спокойно.

Глава сорок седьмая

Приняв душ, я нашел Мэри Кэтрин в кухне, она доставала из сушилки простыни.

— Господи, Мэри, уже час ночи, — сказал я.

— Это надо сделать, — ответила она, стараясь, как обычно, выглядеть бодрой.

Я помог ей складывать белье, и она просмотрела список больных.

— Сейчас все чувствуют себя неплохо, — сообщила она. — Рвота, слава Богу, прекратилась, но остались кашель и насморк. Думаю, бумажные салфетки кончатся у нас завтра к полудню.

— Учту, — пообещал я. Утром отправлю Симуса на склад «Костко» в Нью-Джерси, чтобы привез целый фургон салфеток.

Когда со стиркой было покончено, я взял корзину из рук Мэри Кэтрин.

— Почему бы теперь тебе не поспать?

Но уходить она никак не хотела. Настояла, что переночует в кресле в гостиной на тот случай, если кому-то понадобится. Слишком усталый, чтобы спорить, я снял пиджак и плюхнулся в кресло напротив. Я ведь уже оделся на следующий день. Буду мятым детективом — Кэти Кэлвин не одобрила бы, — но я должен быть готов, как только появятся какие-то новости.

Все тело ныло. Я так устал, что, несмотря на стресс, адреналин и озабоченность, мои веки тяжело опустились, будто свинцовые.

— Я всегда знала, что за переезд в Америку придется дорого заплатить, — через минуту сказала Мэри Кэтрин. — Чем это пахнет, детской рвотой, или компания «Янки кэндл» выпустила что-то новое?

— Ни тем, ни другим, девушка, — улыбнулся я не открывая глаз. — Этот освежающий аромат идет от моих носков — я забыл бросить их в стирку. Советовал же тебе уйти, когда представилась такая возможность. Доброй ночи.

Глава сорок восьмая

Учитель проснулся в страхе — сел в постели, ловя ртом воздух, сердце колотилось.

Спокойный сон никогда не был для него проблемой, но теперь этому пришел конец. Всякий раз, засыпая, он слышал голос проклятого полицейского, бившийся у него в ушах, будто гонг.

Беннетт просто дурачился с ним, бодро уверял он себя. Но в душу закрадывалось сомнение, вызывая тревогу, лишая покоя. Что, если его сообщение недостаточно ясно? Шум в голове мешал сосредоточиться. Взглянув на будильник, он скрипнул зубами. Час ночи. Как он сможет действовать завтра, если проведет бессонную ночь?

Учитель взбил подушку, закрыл глаза и повернулся на бок, потом на другой, стараясь устроиться поудобнее. Минут пять пытался сосредоточиться на дыхании. Но ничего не помогало.

Треклятый полицейский его достал.

Он снова сел и в конце концов вылез из постели. Следовало как-то сжечь дурную энергию.

Из выходящего на юг окна гостиной он видел Эмпайр-стейт-билдинг, иллюминированный красными огнями. На другой стороне улицы, в модельном агентстве, вовсю шла вечеринка. Чем не прекрасная возможность?

«Может, прогуляться? — подумал он. — Пройтись вокруг квартала?»

Он оделся и, поворачивая ручку двери, вспомнил, что забыл свои пистолеты. Даже не верилось! Вот до чего он взволнован.

Он вернулся в кабинет, перезарядил «кольты» и надел на стволы глушители из нержавеющей стали — наилучшие швейцарские «брюггер и томет». Сунул пистолеты под ремень и накинул пиджак.

«Мир опасен», — подумал он, быстро спускаясь по лестнице на улицу.

Никогда не знаешь, с кем можно столкнуться.

Глава сорок девятая

Пьер Лагю, выдающийся фотограф мод, спускаясь по лестнице агентства «Уэст-Сайд модел эйдженси», чувствовал себя наполненным радостью пузырьком.

И не просто пузырьком. Опьяненный превосходным наркотиком, известным как экстази, он ощущал себя tres chic* пузырьком шампанского «Кристалл».

Удивительно, как его одарила жизнь, думал он. Всего двадцать семь лет, и уже богат. Красивый, гетеросексуальный француз, очень, очень талантливый фотограф. Самое трудное для него — при этой мысли он хихикнул — просыпаться.

Они сказали, что у него превосходный глаз. Они — это люди, имеющие вес в мире моды. Несмотря на его молодость, шепотом произносят: «Кумир». Его имя звучит наряду с Ритцем, Ньютоном, Мэпплторпом. Извините, ребята, подвиньтесь. В городе появился новый enfant terrible**.

---

* Шикарный (*фр.*).
** Несносный ребенок (*фр.*).

И самое лучшее — вечеринки. Сегодня сказочная мечта уже начала осуществляться, и сколько их еще будет? Он прямо-таки видел этот бесконечный строй. Длинный, изящный, темный, будто ряд дизайнерских костюмов в громадной гардеробной его верхнего этажа на Брум-стрит.

Окружающий мир выдохнул: «Да».

Он вышел на улицу. В небе висела молодая луна — и такими он предпочитал любовниц. Как эта едва достигшая совершеннолетия, похожая на Майю Форд нордическая блондинка, с которой он только что «встретился» на черной лестнице. Он мог бы влюбиться в нее, если бы запомнил имя.

— Пьер? — послышался женский голос.

Он вытянул шею, поднял небритое лицо. Звала она — его новая красавица, статная, словно фигура на носу корабля викингов, забравшаяся на пожарную лестницу над ним. Или это настоящая валькирия? Она стояла на такой высоте, что понять было трудно.

— Лови! — сказала она.

Что-то темное, прозрачное плавно порхнуло вниз и легло на его протянутые ладони — теплое, легкое, почти невесомое. Перо из ангельского крыла? Нет, нечто лучшее. Трусики стринги. Какой чудесный американский прощальный подарок! Какими необузданными становятся девушки!

Он послал ей воздушный поцелуй, достал шелковый платок из нагрудного кармана кашемирового спортивного пиджака от Ива Сен-Лорана и сунул на его место прелестный сувенир. И пошел дальше по Десятой авеню, чтобы взять такси и ехать на очередной званый вечер.

Дойдя до середины квартала, он заметил мужчину, одиноко стоявшего на тротуаре возле путепровода.

«Собрат-гуляка», — подумал Пьер и увидел серьезное лицо этого человека.

Пьер беззастенчиво воззрился на него. Он постоянно искал впечатляющий объект для фотосъемки, набивая глаз. Может, благодаря этому он станет бессмертным. И этот человек — было нечто трагичное в том, как он стоял на темной, совершенно безлюдной улице. Квинтэссенция грусти. Совершенно в духе Эдварда Хоппера.

Но в глазах человека было еще что-то. Какая-то пугающая, страстная напряженность.

Пьер был так зачарован, что прошло полминуты, прежде чем он увидел два пистолета с глушителями.

Одурманенный наркотиком, Пьер с трудом искал объяснений. Первое, что пришло в голову, была та девушка на лестнице. Это гневный соперник?

— Постойте! — Пьер умиротворяюще поднял руки. — Она сказала, что у нее никого нет. Прошу вас, месье, вы должны мне поверить. Или, может, вы ее отец? Да, она молодая, но вполне...

Учитель дважды выстрелил ему в пах из «кольта» двадцать второго калибра и один раз в горло из сорок пятого.

— Ничего подобного, лягушатник, — произнес он, глядя, как этот никчемный гедонист валится на тротуар.

Он встал на колени возле упавшего, отбросил со лба волосы. Зубами снял колпачок с фломастера и начал писать.

Глава пятидесятая

Подойдя к дому, Учитель меньше всего ожидал здесь увидеть невысокую, привлекательную блондинку, бешено вскочившую со ступеней.

— Наконец-то я нашла тебя, сукин сын! — пронзительно выкрикнула она.

«Черт возьми!» — ужаснулся Учитель. Это была агент по рекламе из его прежней жизни — той, от которой он отказался два дня назад, начав осуществлять свою миссию.

— Уэнди, — успокаивающе сказал он. — Я собирался вернуться к тебе.

— Как любезно с твоей стороны! — вскипела она. — Учитывая, что я звонила тебе тридцать шесть треклятых раз. Никто не является на утреннее шоу «Сегодня»! Ты погубил себя! Более того, погубил меня!

Учитель нервно огляделся. Стоять здесь и пререкаться неразумно. Если еще не нашли убитого француза, то вот-вот найдут.

Но тут он понял, что она совершенно пьяна — глаза налиты кровью и от нее несет перегаром. План созрел мгновенно. Отлично.

— Уэнди, я могу не только объяснить, — сказал он с самой обаятельной улыбкой. — Я компенсирую тебе убытки в десятикратном размере. Я получил сообщение, от которого у тебя голова пойдет кругом.

— Компенсируешь? Разве ты восстановишь мой бизнес? Знаешь, как я трудилась, чтобы пригласить тебя? На этом уровне второго шанса не будет. Я разорена!

— Малышка, я говорю о Голливуде. Я только что общался с «Ночным ток-шоу», — солгал Учитель. — Ленно жаждет заполучить меня. Это все поправит, Уэнди, обещаю. Слушай, пошли со мной наверх. Я приготовлю завтрак. Тебе он понравился в прошлый раз, ведь правда? Как насчет свежих бельгийских вафель?

Уэнди отвернулась, стараясь оставаться разгневанной. Но это не удалось, и она невнятно заговорила в пьяной откровенности.

— Ты не знаешь, как я скучала по тебе. После той ночи, и ты потом не позвонил и...

Учитель прижал к ее губам палец. После нескольких секунд сопротивления она слегка прикусила его.

— Сегодня мы проведем время еще лучше, — пообещал он. — Если будешь вести себя хорошо — или следует сказать плохо? — Я даже подогрею сироп... — И улыбка убийцы стала еще шире.

Наконец она улыбнулась в ответ. Достала из сумочки косметичку, привела в порядок прическу и макияж и взяла его под руку.

Когда они вошли в квартиру, Учитель запер дверь.

— Что сначала? — спросил он. — Еда или сообщение?

— Конечно, сообщение. Ты не шутишь? — Она в возбуждении сбросила туфли на высоком каблуке. — Я жду с нетерпением!

— Оно здесь. Иди за мной.

Они вошли в соседнюю комнату, и взгляд ее упал на труп на кровати. Она сделала еще два шага, остановилась и, внезапно протрезвев, уставилась на покойника.

— О Господи, — произнесла она еле слышно. — Что это? Что происходит? Не понимаю...

Учитель, не колеблясь, выстрелил ей в затылок из «кольта» двадцать второго калибра. Потом затащил тело в чулан, бросил сверху туфли фирмы «Маноло Бланик» и закрыл дверь.

— Долго рассказывать, — сказал он, вытирая руки.

Когда он лег в постель, веки тут же отяжелели, дыхание замедлилось до обычного спокойного ритма.

«Кому нужно теплое молоко?» — подумал Учитель, мягко погружаясь в сон.

Глава пятьдесят первая

Потребовалась секунда, чтобы выделить звонок сотового из непрерывного кашля в больничной палате Беннеттов. Я нащупал телефон и заметил, что было лишь начало четвертого ночи. Несмотря на все надежды, спал я от силы десять минут.

— Алло, Майк, это Бет Питерс. Извини, что разбудила, но мы только что получили сообщение. В Адской кухне застрелен фотограф мод. Похоже, это дело рук сам знаешь кого.

— Я только и жду возможности отправить сама знаешь кого сама знаешь куда, — угрюмо ответил я. — Свидетели есть?

— По-моему, нет. Но один из патрульных говорит, что убийца что-то написал. Я не совсем поняла, что именно. Выезжать мне туда или...

— Нет, оставайся в конторе, — сказал я. — Мне ехать ближе. Давай адрес.

Поговорив с Бет, я позвонил Макгиннессу в надежде разбудить его и сообщить последнюю «приятную» новость. К сожалению, пришлось довольствоваться голосовой почтой.

«Невероятно, — подумал я, откладывая телефон. — Мерзавец, похоже, ускорил темп — сокращает интервалы между убийствами, оставляя все меньше времени на расследование. Вот уж чего нам совершенно не нужно».

— Только не говори, что должен возвращаться на службу, — сказала Мэри Кэтрин, по-прежнему сидевшая в кресле напротив.

— Этот город никогда не спит, и психопаты, очевидно, тоже.

Я с трудом поднялся на ноги и долго рылся в темной комнате в поисках ключей, потом отпер сейф в передней и достал оттуда «глок».

— Справишься? — задал я глупый вопрос. Что бы я делал, если бы она ответила нет?

— Все нормально, — заверила она. — Сам поберегись.

— Поверь, окажись я рядом с этим типом, то уж не оставлю ему возможности причинить мне вред.

— И машину веди осторожно, — сказала Мэри Кэтрин. — Я беспокоюсь. Вид у тебя такой, будто ты только что выполз из склепа.

— Спасибо за комплимент, — усмехнулся я. — Если тебя это утешит, чувствую я себя еще хуже.

И тут же доказал это, налетев на закрытую входную дверь.

Однако, спускаясь в лифте, я нашел в произошедшем и светлую сторону. Этот тип убил кого-то в Уэст-Сайде, и мне по крайней мере не придется далеко ехать.

Глава пятьдесят вторая

Когда я добрался до места убийства на Тридцать восьмой улице, эксперты еще возились с желтой лентой.

— Отличная работа, — сказал я. — Лента выглядит шикарно. Может, возьмете еще рулон?

Легкое переигрывание для полицейских и экспертов со стороны расследующего убийства детектива вполне ожидаемо, и, как ни скверно себя чувствовал, я с удовольствием поддержал традицию.

— Главное, найти нужных людей, — проворчал в ответ дюжий усач. — Сюда, детектив.

Он приподнял натянутую на уровне талии пластиковую ленту, облегчая мне проход.

— Вот это осмотр места преступления, — сказал я. — Мусор на улице? Проверяй. Мертвый гражданин? Проверяй...

— Самоуверенный детектив? Проверяй! — выкрикнула Кэти Кэлвин из-за ленты.

— Назойливые репортеры, вездесущие и безответственные, — продолжил я, не взглянув на нее.

Поезд, ехавший невесть куда, но не в Адскую кухню, загудел, грохоча под путепроводом, возле которого мы стояли. Мне внезапно захотелось прыгнуть на него с моста. Я всегда мечтал о путешествиях.

— Отличный звуковой эффект для cine noir*, — удовлетворенно кивнул я экспертам. — Знаете, какие деньги пришлось бы выложить голливудской студии за такую подлинность? Вы прямо-таки превзошли себя. Я и желать не мог ничего лучшего.

По пути я узнал от Бет Питерс, что убитый был важным лицом в индустрии моды. И подумал, нет ли здесь параллелей с убийством Джанни Версаче — не вращался ли Учитель подле богатых и знаменитых, не решил ли ухватить минуту славы жестоким путем.

Жестоким для других.

Я присел на корточки и взглянул на труп. Но тут же вскочил и попятился, сонливость как ветром сдуло.

На лбу жертвы было написано фломастером «ТГФ, Майк!».

Оглядев темную улицу, я осознал, что мои руки дрожат. Они прямо-таки чесались выхватить «глок» и убить этого сукина сына. Я сжал их в кулаки, чтобы унять дрожь, и снова посмотрел на лежащего молодого человека, содрогнувшись при виде его залитого кровью паха.

Я проклинал себя за то, что провоцировал Учителя, но быстро оставил самобичевание. Он бы все равно убивал и просто использовал дешевый предлог, чтобы свалить вину на меня.

---

* Черный фильм (*фр.*).

Я дождусь нашей встречи лицом к лицу, вот тогда и дам волю ярости.

Глава пятьдесят третья

Когда я вернулся домой, даже Ральф, консьерж, понял, что ко мне лучше не обращаться. Должно быть, по суровому выражению моего лица.

В квартире я запер все окна и двери и зашел в спальню.

До утра осталось всего ничего. Чтобы разбудить меня потребуется нашатырь, но мне было наплевать. Я не стал чистить зубы. Сил едва хватило, чтобы снять обувь. Я собирался рухнуть в постель и спать, пока меня не вытащат оттуда силой.

Едва я коснулся подушки, с другой стороны кровати послышалось хихиканье.

«Нет, — взмолился я. — Пожалуйста, Господи. Нет».

Совершенно бодрая Шона глядела на меня с лучезарной улыбкой.

— Милочка, это не твоя кровать, — тихо взмолился я. — Это даже не ванна. Хочешь пони? Папа купит тебе целый табун, если дашь ему поспать.

Шона покачала головой, радуясь новой игре. Я чуть не расплакался. Я был обречен и понимал это. Проблема с младшими детьми в большой семье заключается в том, что проще развлекать их, чем сидеть и ждать, пока они развлекут себя сами. Они понимают это интуитивно. Чувствуют пустоту угроз, как ищейка — запах взрывчатки. Сопротивление бесполезно. Ты в их власти.

Не успел я додумать эту мысль до конца, как услышал новое хихиканье и ощутил, что в игру вступает Крисси. Они с Шоной были чрезвычайно дружны.

Крошечные ручки завладели пальцами на моих ногах.

— Групповая психотерапия! — радостно закричали мои дочери.

Я больше не мог терпеть и сел, чтобы приказать им возвращаться в свои постели. Но сдержался, увидев их чистейшую радость. Ладно уж. По крайней мере их не рвет.

Да и как можно спорить с лучом света и ангелом?

— Ладно, устрою вам групповую психотерапию, — сказал я с шутливой угрозой.

Когда я принялся тормошить их, от радостных криков могла бы разбиться лампочка.

Через несколько минут я все же ухитрился уложить дочерей рядом с собой.

— Папа, расскажи сказку, — потребовала Крисси.

— Ладно, милочка, — пробормотал я с закрытыми глазами. — В давние-давние времена жил на свете бедный старый детектив, и домом ему служил башмак.

Глава пятьдесят четвертая

— Беннетт? Слушаешь?

Пронзительный голос разрывал барабанную перепонку в правом ухе. Я подскочил с матраца и потянулся за служебным пистолетом. Потом в замешательстве понял, что нахожусь в своей залитой утренним солнцем спальне, а не в каком-то темном, грозящем смертью проулке. Мой раскрытый сотовый лежал на подушке, рядом с тем местом, где только что покоилась голова. Должно быть, на звонок ответил кто-то из детей и положил под ухо спящему папе.

— Да? — произнес я, подняв его нетвердой рукой.

— В девять часов встреча на Полис-плаза, один, — отрывисто произнес Макгиннесс и так же резко отключился.

За десять минут я не только сел в свой «шевроле», но даже принял душ и оделся. Тронул машину и полез в перчаточный ящик за электробритвой, чувствуя себя так, словно умер и попал в рай. Вероятно, я часов пять крепко, восхитительно спал.

Я вошел в двери дома на Полис-плаза, один, имея сорок секунд в запасе, и поднялся на двенадцатый этаж, в ту же комнату для совещаний, где проходило первое собрание оперативной группы. Там сидели те же усталые, нервозные полицейские. Я налил себе кофе, взял глазированную шоколадку и сел среди них.

Макгиннесс вошел в комнату секунда в секунду, держа над головой газету «Пост». «ВЫ ВИДЕЛИ ЭТОГО ЧЕЛОВЕКА?» гласил заголовок под фотографией Учителя из видеокамеры наблюдения.

— Ответ — да, — объявил он, бросив газету на стол. — Час назад стюардесса «Эр Франс» указала фото нашего убийцы.

Комнату огласили бурные аплодисменты. «Слава Богу», — подумал я, ударив кулак о кулак с сидевшей рядом Бет Питерс. Макгиннесс не счел нужным отметить наши заслуги, но я был так рад, что решил оставить это без внимания.

Наша инициатива оправдала себя! Теперь у нас имелся снимок этого животного.

— Имя подозреваемого Томас Гладстон, — сказал Макгиннесс, раздавая распечатки из большой пачки. — Бывший летчик компании «Бритиш эйруэйз» — живет в Локаст-Вэлли, на острове.

«Локаст-Вэлли? — подумал я. — Разве там любое имя не звучит как Терстон Хауэлл-третий?» Летчики получают неплохие деньги, но не до такой же степени. Не этим ли объясняются его цели в шикарных местах? Может быть, с Гладстоном пренебрежительно обошлись в «Поло» и клубе «Двадцать одно» или в подобных заведениях, и он решил, что малыми чаевыми не выкажет полностью своего недовольства.

— И мы узнали, с чего все началось, — сказал Макгиннесс. — Оказывается, Гладстон должен был на прошлой неделе лететь из Хитроу в Нью-Йорк, но напился и его уволили. И мы только что нашли его машину с извещением о штрафе на пригородной стоянке в Локаст-Вэлли.

Я угрюмо кивнул. Теперь кое-что прояснилось. Потеря работы — одна из первых в перечне причин, приводящих людей в неистовство.

— У нас уже есть ордер на арест? — спросил я.

— Будет к тому времени, когда мы возьмем этого гнусного хмыря, — заверил Макгиннесс. — Спецназ ждет внизу. Кто хочет совершить небольшое путешествие на «золотой берег»?

Все дружно поднялись со своих мест. К своему кофе я даже не прикоснулся, но чувствовал себя бодрым.

Глава пятьдесят пятая

Городскую площадь Локаст-Вэлли, казалось, окружали исключительно крытые шифером антикварные лавки, бутики и салоны. Нашим местом назначения была автостоянка на Форест-авеню позади мастерской под названием «Ремонт карет и машин». Мне она показалась подозрительно похожей на заправочную станцию.

Спецназовцы из округа Нассау и даже наши коллеги из округа Суффолк уже ждали нас. Когда дело касается убийцы полицейского, сотрудничество разных управлений вполне естественно.

— Доброе утро, ребята, — сказал я и собрал всех возле своей машины на инструктаж.

Видеонаблюдение вокруг участка Гладстона площадью в четыре акра уже установили. Никаких признаков деятельности там не было, никто не выходил и не входил. Телефонные звонки принимал автоответчик. Я узнал, что у Гладстона была жена по имени Эрика и две дочери-студентки, но пока неизвестно, где они.

Том Райли, лейтенант из Нассау, разложил на капоте моего «шевроле» цифровые фотографии переднего и заднего фасадов дома Гладстона — превосходного просторного здания в стиле Тюдоров с крытым патио и плавательным бассейном в задней части. Участок был безупречно озеленен — японские клены, хризантемы, декоративные растения. Определенно не такой дом, который обычно ассоциируется с маньяком-убийцей.

Изучив территорию, мы обсудили стратегию захвата. Никаких попыток переговоров. Мы получили ордер на арест и должны туда войти. Но, учитывая вооружение Гладстона и то, что он уже убил одного полицейского, а другого уложил в кому, мы не упустили мер предосторожности.

Мы решили, что группа захвата будет штурмовать парадную дверь, а снайперы возьмут под прицел передние окна. Если Гладстон появится в одном из них, он будет убит.

Руководил этим делом я и потому собирался следовать за группой захвата для осмотра второго этажа.

— Дверь выглядит крепкой, — сказал я. — Чем воспользуетесь? Тараном?

Молодой мускулистый сержант из спецназа Нью-Йорского полицейского управления поднял обрез дробовика и взвел курок.

— Захватил свою отмычку, — улыбнулся он, показав табачную жвачку во рту. Он явно получал удовольствие. Я был рад, что он на моей стороне.

Перед тем как отдать приказ, я полез в карман пиджака и положил на капот еще одну фотографию — снимок Тонии Гриффит, молодой женщины из транспортной полиции, которую убил Гладстон.

— Джентльмены, это еще одна причина, почему мы поднялись чуть свет, — сказал я. — Давайте отплатим этому мерзавцу.

Дом Гладстона находился в трех кварталах, на зеленой улице Лэттингтаун-Ридж-корт. Наши машины выехали со стоянки и понеслись туда с включенными сиренами и огнями.

Когда мы прибыли, я дал по радио разрешение. Два дизельных грузовика тут же свернули на подъездную аллею и поехали по газонам. Из них выпрыгнули с полдюжины полицейских. Через несколько секунд я услышал два резких хлопка —

петли парадной двери были разбиты выстрелами из дробовика.

Когда полицейские отбросили дверь и с криками ринулись в проем, я выскочил из «шевроле» и ворвался в дом вместе с ними. Взлетел с «глоком» в руке по лестнице, перескакивая через две ступеньки, и сердце мое колотилось.

— Полиция! — крикнул я, пинком распахнув первую же закрытую дверь. За ней оказалась ванная. Внутри было пусто. Кольца на перекладине зазвенели, когда я сорвал занавеску душа. Но там оказались только шампуни.

«Проклятие! — подумал я, выскочив обратно в коридор и поводя пистолетом из стороны в сторону. — Где же Гладстон?»

Глава пятьдесят шестая

Я бежал по коридору мимо рамок с фотографиями нарядных, улыбающихся людей.

— Полиция! — крикнул я снова. — Ты окружен, Гладстон. Это полиция!

В дальнем конце я увидел слегка приоткрытую дверь, прижал палец к спусковому крючку «глока» и толкнул ее плечом.

Дверь открылась в большую спальню-люкс. Я первым делом заглянул в углы, посмотрел на кровать и в ужасе отшатнулся, словно от удара в лицо. Дрожащей рукой я засунул пистолет в кобуру и прикрыл рот ладонью, пытаясь защититься от отвратительного запаха смерти.

Мы опоздали.

«Этот тип», — подумал я.

— О Господи, — выдохнула за моей спиной Бет Питерс.

Этот тип.

Я вышел в коридор, вынул рацию и произнес упавшим голосом:

— Я наверху. На втором этаже.

— Нашел его? — заорал Макгиннесс.

— Нет, — ответил я. — Не его.

Нашли мы связанную, полуодетую женщину на залитой кровью простыне. В открытую дверь ванной я видел женскую ступню над краем ванны. Еще одна молодая женщина, в сущности, девушка, со связанными электрическим шнуром руками и ногами, лежала в крови возле унитаза.

Покачивая головой, я осмотрел трупы. Девушки в ванной были двадцати с небольшим лет. Совершенно голые. Женщина в спальне была старше — возможно, их матерью, Эрикой Гладстон. Мой взгляд упал на валявшуюся в углу свадебную фотографию, стекло рамки треснуло. Я поднял ее и поднес к безжизненному лицу мертвой. Оно было изуродовано, и потребовалась минута, чтобы убедиться в сходстве.

У меня это в голове не укладывалось. Гладстон убил жену и двух дочерей. Свою плоть и кровь.

Комната наполнилась полицейскими. Я слышал за спиной восклицания изумления и ужаса. И не мог двинуться с места, глядя на пропитанные кровью ковер и простыни.

Это было самое тяжкое злодеяние из всех, зверство, преступление против человечности. Господи, как мне хотелось взять этого безумного мерзавца. Лучше всего — в прицел «глока».

Глава пятьдесят седьмая

В половине двенадцатого Учитель остановился перед магазином электроники на углу Пятьдесят первой улицы и Седьмой авеню. Все телевизоры, которые он видел через большие витрины с толстым стеклом, были настроены на программу новостей компании «Фокс».

«Новые данные о маньяке-убийце» — шла надпись по верху экрана, а внизу «Прямая передача из Локаст-Вэлли, Лонг-Айленд».

«О, я знаю это место», — подумал он с улыбкой, глядя на толпившихся на газоне перед особняком полицейских.

Итак, очко в пользу фараонов. Они вышли-таки на его след. Он уже стал задаваться вопросом, смогут ли они это сделать.

Но в сущности, это не имело значения. Теперь придется быть немного осторожнее, но он все равно осуществит свои намерения. Фараоны играют в шашки, а он в шахматы на уровне гроссмейстера.

— Мама, мама! Смотри, смотри! — выкрикнул маленький мальчик-индус, прижавшись лицом к витрине напротив игровой приставки х-бокс-360. — Покемон, Пикачу, Сквирт!

Одетая в сари мать шлепнула его и, дернув за руку, повела по Пятьдесят первой улице.

Глядя им вслед, Учитель вспомнил тот давний день, когда приехал вместе с матерью забрать их последние пожитки из дрянного одноквартирного дома, в котором он рос. Его отец стоял в дверном проеме, пил из горлышка бутылки пиво и удерживал братишку Учителя, который с плачем рвался к маме.

— Нет, приятель, — говорил отец. — Теперь ты папин мальчик, помнишь? Останешься со мной. Это справедливо.

«Но ведь это не так?» — подумал Учитель.

Он удивленно покачал головой, вспомнив, как ехал в кабине грузовика. Сперва он беспокоился, как бы его не увидели соседи, потом понял, что они перестали быть его соседями. И обрадовался. Больше ему не придется делить комнату с глупым братишкой, он уезжает вместе с мамой, и у него будет своя комната. А братишка еще маленький, решил он.

Учитель шумно выдохнул.

«Нет, это не было справедливо», — подумал он, отгоняя давнее воспоминание. Но оно не исчезало. Зато скоро все будет правильно, как и должно быть.

Учитель посмотрел на свое отражение в стекле витрины. Этим утром он был чисто выбрит, облегающий блейзер от Армани, расстегнутая у горла белая шелковая рубашка и врезающиеся в пах джинсы от Дольче и Габбаны придавали ему шикарный, надменный вид. Том Форд, да и только.

Плевать на его фотографии с небритым лицом, где он похож на Унабомбера, на первых страницах «Дейли ньюс» и «Пост». Сейчас на него посматривают только сексуально озабоченные сорокалетние женщины и еще больше озабоченные геи.

Ничто не изменилось. Он будет иметь успех как Неуловимый.

Учитель достал «трео», перепроверил очередную цель, поправил пистолет за поясом сзади и шагнул в людской поток на тротуаре.

Этот человек давно должен получить заслуженное возмездие.

Учитель слегка ускорил шаг, держа путь в восточную сторону и затерявшись в толпе.

Глава пятьдесят восьмая

Через полчаса после нашего штурма передвижных телестанций на улице Лэттингтаун-Ридж-корт было больше, чем «рейнджроверов». Вдоль ограждения я насчитал по меньшей мере четверых репортеров, наводящих на дом свои портативные, напоминающие ракеты «земля — воздух» камеры. Впору вызывать авиационную поддержку. Мы находились в осаде.

Я охотно оставил спальню-люкс приехавшим из Нассау экспертам.

— Значит, это правда? Тройное убийство на «золотом берегу»? — сказал один из них, покачивая головой. — Я узнал Доминика Данна.

На первом этаже полицейские стояли группами, курили, пили кофе и острили, как скверные гости на худшей в мире вечеринке с коктейлями.

Я прошел через их толпу и стал рассматривать фотографии на стенах в гостиной. Снял три, которые могли пригодиться в поисках Гладстона. Красивый, подтянутый летчик с жестким взглядом. И улыбался он, как сильный человек, всегда получавший желаемое.

— Привет, помешанный сукин сын, — сказал я ему.

Я посмотрел и другие фотографии. Маленькие девочки на пикнике, подростки на пляже, юные леди, оканчивающие среднюю школу. Дочери Гладстона были красивыми, но не такими, как мать. Темноволосая, светлоглазая, широкоскулая Эрика выглядела королевой из сказки.

Но решетка ее «линкольна-навигатора» проломила стену возле сделанного в фотоателье портрета.

Очень жаль, что у сказки оказался такой конец.

Я нашел кабинет за створчатой застекленной дверью и воспользовался факсом, чтобы отправить фотографии заместителю комиссара по связям с общественностью для передачи их прессе. Потом сел за антикварный стол и начал выдвигать ящики.

Меня сразу потрясли счета по карточке «Американ экспресс». Четыреста долларов за визит в парикмахерскую, три тысячи за покупки в магазине «Бергдорф-Гудмен». Миссис Гладстон платила за уход за кожей больше, чем я за обучение в колледже. Очевидно, богатство означало чрезмерную расточительность.

Через несколько минут я наконец нашел искомое — счета от клуба «Двадцать одно» и магазина «Поло».

Кроме того, я обнаружил в нижнем ящике документ, который принял за какой-то контракт. И не ошибся. Это был контракт о разводе.

«Ага, — подумал я. — Эта находка помогала объяснить происходящее». Обычно людей приводят в исступление две вещи — развод и потеря работы. Гладстон почти одновременно испытал и то, и другое.

Но мне требовалось нечто, говорящее, где прячется Гладстон и где может нанести очередной удар. Я продолжал поиски.

Через двадцать минут я нашел на одной из встроенных полок альбом с газетными вырезками. Там были в основном снимки светской хроники из местной газеты. Эрика на благотворительных приемах, иногда со своим принцем-мужем, но большей частью без него. На последнем фото Эрика в атласе, кружевах и бриллиантах была запечатлена на мероприятии в помощь больным СПИДом в манхэттенской таможне.

Ее обнимал за обнаженную талию седовласый мужчина. Как гласила подпись, звали его Гэри Карджилл.

Я сразу же вспомнил, что фамилия Карджилл была в документах о разводе.

Еще один сокрушительный удар по самолюбию Гладстона. Его жена завела интрижку со своим бракоразводным адвокатом.

И тут меня осенило. Будь я так же безумен, как Гладстон, и перенеси те же муки, кого захотел бы убить?

Бросив альбом с вырезками, я обернулся и схватил телефон.

— Город и телефонный номер, пожалуйста, — прозвучал раздражающе спокойный автоматический голос.

— Манхэттен! — заорал я. — Адвокат по фамилии Карджилл!

Глава пятьдесят девятая

— Стало быть, вы решили расстаться с женой, — произнес знаменитый бракоразводный адвокат Гэри Карджилл в полной уверенности, что эта формулировка и консультация стоят гонорара в пятьсот долларов.

— Но не с тайным фондом, — сказал мистер Сэвидж, последний клиент Карджилла. В своем небрежном дизайнерском костюме он выглядел настоящим победителем. Гэри подумал, что лицо это ему знакомо, но не мог вспомнить, где его видел. В журнале «Форчун»?

«А, тайный фонд, — подумал Гэри. — Два самых приятных слова в современном языке».

— Потому я и обращаюсь к вам, — продолжил Сэвидж. — Я слышал, что в своем деле вы лучший. Мне не важно, сколько это будет стоить, лишь бы эта шлюха не получила ни цента.

Гэри задумчиво откинулся на спинку кресла в кашемировом чехле. Его тщательно спроектированный, обшитый дубовыми панелями кабинет походил на библиотеку английского загородного поместья, но с некоторыми дополнениями. В загородных поместьях не бывает сорока этажей с окнами от пола до потолка, выходящими на «Метлайф», «Крайслер» и Эмпайр-стейт-билдинг.

— Уверяю вас, вы пришли куда нужно, — сказал он.

И нахмурился, увидев, как замигал огонек на его телефоне «мерлин». Он доходчиво объяснил секретарше свое главное правило — ни в коем случае не прерывать его при первой встрече с клиентом. При тех деньгах, которые тратит новичок, нельзя даже намекать, что у тебя есть другие клиенты. Неужели она ничего не поняла?

Смартфон на поясе внезапно завибрировал, встревожив его снова. Что происходит, черт возьми? Адвокат раздраженно взглянул на «блэкберри».

Сообщение от секретарши гласило: «911».

— Прошу прощения, мистер Сэвидж, — сказал он. — Я дал указания, чтобы меня не прерывали. — Выразительно, как один богатый, значительный человек другому, он пожаловался взглядом на работу секретарш в настоящее время. — Одну секунду.

Гэри открыл смартфон и прочел сообщение: «Звонили из полиции. Ваш клиент может быть тем самым убийцей! Уходите!»

Он услышал странный, отрывистый хлопок, и «блэкберри» внезапно вылетел из его руки.

Смахивая с лица мелкие осколки стекла и пластика, Гэри пытался сосредоточить взгляд на клиенте. Мистер Сэвидж сунул за пояс пистолет с длинным стволом, повернулся и поднял стоявший позади травертиновый журнальный столик. Весил он, должно быть, гораздо больше ста фунтов, но Сэвидж без усилия бросил его в одно из окон. Оглушительный грохот и разлетающиеся осколки заставили Гэри спрятаться за письменным столом.

— Оставь, Гэри. Неужели не думал, что все это обернется против тебя? — выкрикнул этот человек, перекрывая шум ворвавшегося в кабинет ветра. Парализованный Гэри смотрел, как его документы порхают в воздухе над Парк-авеню.

— Не-е-е-е-т! — внезапно закричал он, делая отчаянную попытку убежать. Когда он достиг края стола, Учитель прострелил ему коленные чашечки из «кольта» двадцать второго калибра с глушителем.

Гэри не представлял, что боль может быть такой сильной. Он качнулся к окну без стекла и чуть не упал, едва успев ухватиться за металлическую раму. И судорожно вцепился, глядя на бетон и толпы Парк-авеню внизу в четырехстах футах.

— Давай протяну тебе руку помощи, — подошел к нему Учитель. — Хотя нет. Лучше ногу.

И злобно ударил дрожащего адвоката каблуком в подбородок.

— Не-е-е-е-т! — завопил Гэри, пальцы его разжались, и он полетел вниз.

— Ты уже говорил это, мразь, — рассмеялся Учитель, глядя, как тело кувыркается в последние секунды жизни.

Когда Карджилл наконец шлепнулся на площадь перед зданием, раздался такой звук, словно взорвался телевизор.

Учитель широким шагом подошел к двери кабинета и распахнул ее. В коридоре за ней одни убегали в панике, другие сидели за столами, дрожа, как кролики в западне.

Он быстро направился к задней лестнице, держа пистолет в опущенной руке и думая, найдется ли кто-то настолько глупый, чтобы встать у него на пути?

Глава шестидесятая

Я мчался в город со скоростью девяносто миль в час и не мог поверить, что, когда звонил, Гладстон находился в кабинете Карджилла! Я опоздал на несколько секунд.

Я с визгом затормозил перед административным зданием на Парк-авеню. За желтой полицейской лентой лежало множество стеклянных осколков и мертвый адвокат.

— Сперва прострелил ему коленные чашечки, потом, должно быть, выбросил в окно, — сказал Терри Лейвери, когда я подошел. — Я тоже не особенно люблю адвокатов, но смотри.

Я вслед за ним поднял взгляд по стеклянному фасаду здания к зияющему пустому прямоугольнику под крышей и спросил:

— Как он ушел?

— Спустился по служебной лестнице. Мы нашли одежду в лестничном колодце. Здесь семь выходов из цокольного этажа и четыре из вестибюля. Должно быть, переоделся и убрался до приезда первой полицейской машины. Сколько еще ему может так везти?

К нам подошла Бет Питерс.

— Слышали последние новости? — спросила она. — За минувший час Гладстона видели десятки людей. От Куинса до Стейтен-Айленда. Какая-то женщина даже утверждает, будто он стоял перед ней в очереди у статуи Свободы.

— По радио говорили, что вчера вечером клубы в Челси на Двадцать седьмой улице были закрыты, потому что все боялись выходить из дома, — сказал Лейвери. — А в кафе на Юнион-сквер официант пырнул ножом подозрительного клиента, приняв его за убийцу.

Бет Питерс покачала головой.

— Этот город раньше не был таким нервозным.

Мой сотовый зазвонил снова. На сей раз это был Макгиннесс. Я глубоко вздохнул и раскрыл телефон, догадываясь, что ничего хорошего не услышу.

И оказался прав.

Глава шестьдесят первая

Час пик был в полном разгаре, когда Учитель добрался до Адской кухни. При взгляде на теснящиеся, сигналящие машины перед Линкольн-туннелем, его охватила жалость.

Зрелище было мучительным. Тупые лица за ветровыми стеклами. Рекламные растяжки, болтающиеся над затором, словно морковка, манящая безмозглых ослов. Клаксоны «хонд» и «фольксвагенов» слабо блеяли в загазованном воздухе, словно овцы, которых ведут на бойню.

«Что-то из Данте, — печально подумал он. — Или хуже того, из романа Кормака Маккарти».

«Неужели не знаете, что вы созданы для величия? — хотелось ему крикнуть этим людям. — Неужели не знаете, что живете для чего-то большего, чем это?»

Он поднялся по лестнице в свою квартиру, теперь на нем была рабочая одежда фирмы «Дикки», в которую он переоделся перед выходом из того здания. Он понимал, что маскировка эта неважная, но ей и не требовалось быть хорошей. При миллионах людей, метро, автобусах и такси полиция не в состоянии держать под наблюдением весь город.

Полицейские с визгом тормозов въезжали на площадь, когда он спустился по лестнице. И просто прошел через банк, пристроенный к вестибюлю, воспользовался его выходом в переулок.

Учитель вздохнул. Даже легкость, с которой он скрылся, почему-то портила настроение.

В безопасности своей квартиры он придвинул кресло к окну и сел. После ходьбы он устал, но это была приятная усталость — похвальное мужское утомление от настоящей работы.

Солнце поднималось над Гудзоном, золотя поблекшие склады и жилые дома. Учитель глядел на них, и в сознании его всплывали обрывки воспоминаний.

Бетон, обжигающий ноги сквозь подошвы тапочек. Стикбол и баскетбол. Они с братом играли на одной из выгоревших площадок возле Рокавэй-Бич.

Воспоминания приходили из прежней, настоящей жизни, из которой мать вырвала его и увезла гнить на Пятую авеню.

Непоправимость случившегося пронзила его, словно раскаленная игла. Нельзя было вернуться назад, нельзя ничего переделать. Жизнь, до отказа заполненная чепухой, призванная осчастливить, оказалась совершенно никчемной.

Учитель заплакал.

Вскоре он утер глаза и встал. Требовалось еще кое-что сделать. В ванной он открыл кран. Потом зашел в соседнюю комнату и поднял труп с кровати для гостей.

— Остался один, — ласково прошептал он. — Мы почти закончили.

И с нежной, заботливой улыбкой понес труп в ванную.

Глава шестьдесят вторая

Полчаса спустя Учитель вошел в кухню, взял пинтовую бутылку виски «Канадиан клаб» из шкафчика над раковиной и торжественно неся ее в обеих руках, вошел в столовую.

Труп был почтительно уложен на стол. Учитель вымыл его в ванне, отмыв шампунем волосы от крови и мозга, и облачил в темно-синий костюм с галстуком.

Учитель тоже оделся в траурный черный костюм. Бутылку виски сунул во внутренний карман пиджака покойного.

— Мне очень жаль, — прошептал он, наклонился и поцеловал бледный, безжизненный лоб.

Вернувшись в кухню, Учитель взял со стола пистолеты, быстро перезарядил их и сунул за пояс. Полицейские будут здесь с минуты на минуту.

Он достал из-под кухонной раковины красную пластиковую банку с бензином и отнес ее в столовую. Сильный чуть сладковатый запах горючего заполнил квартиру, когда он крестообразно облил тело — со лба до паха, потом от плеча к плечу.

— Во имя Отца, Сына и Святого Духа, — торжественно произнес Учитель.

Он в последний раз взглянул в лицо, на печальные голубые глаза, плотно сжатый рот, и, негромко всхлипывая, попятился к входной двери квартиры, щедро поливая бензином пол.

На зажигалке, которую он достал из кармана, была эмблема морской пехоты. Он с тяжелым вздохом вытер щеки и на миг приложил холодную бронзу ко лбу. Не упустил ли он чего?

Учитель пинком отправил пустую банку из-под бензина в сторону столовой, щелкнул зажигалкой и бросил ее с искусной небрежностью, словно выигрышную карту на громадный кон.

«Ничего не упустил», — подумал Учитель.

Громкий хлопок отбросил назад его волосы, когда из квартиры метеором вылетел огненный шар. Столовая вспыхнула, словно коробка спичек.

Еще несколько секунд он как зачарованный смотрел на черный дым, тянущийся из дверного проема.

Потом закрыл дверь, достал ключи и накрепко ее запер.

Глава шестьдесят третья

Костюм и шляпа консьержа дома № 1117 на Пятой авеню были того же темно-зеленого цвета, что и тент.

— Могу быть вам чем-то полезен, сэр? — спросил он, когда я вошел в вестибюль.

— Детектив Беннетт, — сказал я, показывая значок. — Мне нужно видеть мистера или миссис Бланшетт.

Эрика Гладстон, убитая в особняке в Локаст-Вэлли, оказалась одной из этих Бланшеттов. Ее отец, Генри, руководил «Бланшетт холдингс», частной акционерной и поглощающей компанией, заставляющей дрожать фирмы и даже тайные фонды.

Я приехал, чтобы сообщить им о смерти Эрики и, возможно, получить какую-то наводку на их обезумевшего зятя.

Я поднялся в их квартиру в пентхаусе в лифте с красивыми деревянными панелями и хрустальной люстрой. Парадную дверь открыл настоящий дворецкий в визитке. Справа от него за стеклянной стеной поднимался пар из плавательного бассейна на крыше — величиной с олимпийский, оттуда, с высоты двадцатого этажа, открывался горизонт, сливающийся с зеленью Центрального парка.

— Детектив, мистер и миссис Бланшетт сейчас спустятся, — сказал с английским акцентом лощеный дворецкий. — Прошу вас, следуйте за мной в гостиную.

Я вошел в комнату с шелковыми обоями величиной с самолетный ангар. С высоких стен над дизайнерской мебелью и скульптурами свисали достойные музея профессионально освещенные картины. Я воззрился на полотно Поллока величиной с лужайку вокруг лунки на поле для гольфа, потом перевел взгляд на каменного китайского дракона, который никак не мог бы войти в лифт.

Это двухэтажное жилище было бы лучшим, самым роскошным из виденных мной даже без бассейна. А я читал журнал «Архитектурный вестник». Во всяком случае, всякий раз, когда заходил в магазин компании «Барнс и Ноубл».

— Детектив Беннетт, так ведь? Я Генри Бланшетт. Чем могу быть полезен?

Вошедший был невысок, дружелюбен, в шортах для бега и пропитанной потом майке. Меня приятно удивило, что он больше походил на любезного контролера, чем на Гордона Гекко, персонажа фильма «Деньги не спят», как мне представлялось.

— Что происходит? — резко спросила привлекательная пепельная блондинка пятидесяти с лишним лет, вошедшая в комнату следом за ним. Поверх желтого шелкового халата был надет макияжный нагрудник. Миссис Бланшетт больше соответствовала нарисованному мной образу.

Я глубоко вдохнул, собираясь с духом. Нелегко сообщать людям, что их дети мертвы.

— В доме в Локаст-Вэлли была стрельба, — сказал я. — Ваша дочь Эрика убита. Она скончалась мгновенно. Мне очень жаль.

Рот и глаза Генри, казалось, увеличились втрое. Он в смятении уставился на меня, пятясь к мягкому, обитому мохером креслу. Его ошеломленная жена опустилась в антикварный шезлонг.

— А девочки? — негромко спросил Генри. — Я не видел их несколько лет. Должно быть, они уже взрослые. Они знают?

— Джессика и Ребекка тоже убиты, — вынужден был сообщить я. — Глубоко сочувствую вашей утрате.

Его жена ахнула, глаза ее наполнились слезами. Генри поднял руку, будто собираясь что-то сказать, и опустил ее.

— К сожалению, это еще не все, — бросил я третью, последнюю бомбу в моем арсенале горя, чтобы покончить с этим как можно быстрее. — Мы считаем, что убил их ваш зять, Томас Гладстон. И именно он повинен в ряде произошедших в городе убийств.

Слезы миссис Бланшетт мгновенно высохли, и теперь я видел в ее лице только ярость.

— Я же говорила тебе! — закричала она мужу. — Я говорила, что брак с этим подонком будет...

И снова лишилась сил.

Миллиардер опустил голову, глядя на восточный ковер между своих тапочек, словно пытаясь что-то прочесть в узоре.

— Мы поссорились, — произнес он.

Глава шестьдесят четвертая

— Генри, это несправедливо, — всхлипнула миссис Бланшетт. — После всех моих... Чем мы это заслужили?

Я едва верил своим ушам. Но люди реагируют на горе странным образом.

— Вы не знаете, где ваш зять может скрываться? — спросил я. — Другая квартира? Может быть, загородный дом?

— Другая квартира! Вы представляете, сколько мы заплатили за дом в Локаст-Вэлли, купленный для Эрики?

Она явно считала, что о подобных делах я и понятия не имею. Я повернулся к ее мужу и спросил:

— Каков был характер ссоры?

Миссис Бланшетт вскочила из кресла, словно боксер после гонга.

— Вам-то какое до этого дело? — устремила она на меня свирепый взгляд.

— Детектив, как видите, моя жена очень расстроена, — произнес мистер Бланшетт, не поднимая глаз от ковра. — Мы оба расстроены. Не могли бы вы расспросить нас потом? Может, по прошествии времени...

— Конечно. — Я положил на сервант свою визитную карточку. — Если вспомните что-нибудь, способное нам помочь, или захотите получить дополнительную информацию, пожалуйста, позвоните.

Выйдя из лифта внизу, я увидел консьержа в зеленой форме, весело болтающего по-испански с одной из служанок.

Когда я подошел и снова показал ему свой значок, они замолчали.

— Детектив Беннетт, — напомнил я. — Можно задать вам несколько вопросов? Это не займет и минуты.

Служанка тихонько улизнула, а консьерж пожал плечами.

— Конечно. Меня зовут Пети. Чем могу служить?

— Знаешь Эрику Гладстон? — спросил я.

— С тех пор как она была крошкой.

— Что произошло между ней и родителями?

Пети внезапно позеленел, как его пиджак.

— Я ничего не слышал об этом, amigo*, — сказал он. — Тебе лучше спросить их, понимаешь? Я только работаю здесь.

Я дружески положил руку ему на плечо.

— Послушай, я знаю этот кодекс секретности — не рассказывай о жильцах дома. Успокойся. Тебе не придется давать показания в открытом суде. Просто помоги мне взять этого психа, который всех убивает. Мы думаем, что это муж Эрики, Томас Гладстон.

— Неужели? — Глаза консьержа расширились от ужаса. — О Господи! Правда?

— Правда. Говори, Пети. Давай схватим этого типа.

---

* Друг (*исп.*).

— Да, да, конечно... Эрика... Ладно, слушайте. Она была сумасбродным ребенком. Совершенно сумасбродным. Наркотики. Два курса лечения. Ей тогда еще не исполнилось шестнадцати. Когда она возвращалась от Сары Лоуренс, нам было велено не пускать ее, если дома никого нет.

Потом она вроде бы исправилась. Вышла замуж за приличного парня из папочкиной фирмы, родила двух дочек. И вдруг неожиданно развелась и вышла за этого Гладстона. Он был летчиком на корпоративном самолете ее отца, я так слышал. Родители взбеленились, особенно владелица поместья, как мы ее называем. Она добилась, чтобы Гладстона уволили, и порвала с Эрикой. — Консьерж понимающе покачал головой. — Одно дело колоться героином в тринадцать лет, но если не можешь уснуть без наркотика, считай, ты покойник.

— Гладстон с Эрикой когда-нибудь приезжали сюда? — спросил я.

— Года три назад, на День благодарения. Приехали с дочерьми, разодетые, с шампанским, с широкими улыбками. Я решил, что их пригласили, и отправил наверх. Но через пять минут они спустились, девочки плакали, как маленькие. Потом эта старая ведьма хотела уволить меня, потому что я сперва не позвонил. Да, прошу прощения. Я нехороший, поскольку подумал, что вы, может, захотите увидеть единственную дочь и внучек в День благодарения.

Я кивнул.

— Спасибо, Пети. Именно это я и хотел узнать.

Вот куда Гладстон нанесет очередной удар. Я это чувствовал. Он приберегал Бланшеттов напоследок, особенно мать. Хотел отомстить ей, доказать, что существует.

Меня тревожила эта мысль, я боялся невезения, но был уверен, что наконец-то добился своего — опередил на шаг убийцу.

Выйдя на улицу, я позвонил Бет Питерс по сотовому.

— Хорошая новость, — сказал я. — Отправляй спецназ и всех, кого сможешь, сюда, на Пятую авеню, дом одиннадцать семнадцать. Нужно установить наблюдение.

Глава шестьдесят пятая

Учитель шел по Десятой авеню, ища взглядом такси, и оказался возле бара, перед которым стояло декоративное тележное колесо и был припаркован ряд мотоциклов «Харлей-Дэвидсон». Из дверей лилась грустная ирландская песня «Улицы Нью-Йорка». Все еще опечаленный после «похорон», он решил войти.

Пожалуй, ему требовалось именно этого — выпить.

У молодой женщины за обшарпанной сосновой стойкой были руки футболиста и металлические кольца, продетые под кожу в разных частях лица.

Учитель заказал «Будвайзер» с порцией виски «Канадиан клаб» и кивнул группе металлистов, провожающих товарища на пенсию в затененной задней комнате.

Поданное виски Учитель сразу же выпил. «За тебя, малыш», — подумал он, сдерживая подступившие вновь слезы.

И принялся за вторую порцию виски и пиво, когда по телевизору стали передавать новости о маньяке-убийце. Он хотел было попросить барменшу усилить звук, но передумал. Ни к чему привлекать к себе внимание.

— Чертовы полицейские, — раздался грубоватый голос рядом с ним. Учитель повернулся и увидел здоровенного металлиста с налитыми кровью глазами и длинными рыжими волосами. — Вот вам идея, фараоны. Почему бы не оторвать от стульев свои толстые задницы и схватить этого психованного сукина сына?

— Психованного? — переспросил Учитель. — По-моему, нервного. Этот человек убирает только богатых, зажравшихся мерзавцев. Он вроде виджиленти*. Помогает этому городу. Что тут плохого?

---

* Член неофициально созданной группы для борьбы с преступностью несанкционированными методами.

— Виджиленти? Ты кто такой? Его пресс-агент? — злобно спросил татуированный. — Урод, я тебе из морды блин сделаю, клянусь Богом. Ты небось такой же псих, как и он.

— Господи, о чем это я? — в досаде схватился за голову Учитель. — Я только что с похорон. До сих пор сам не свой. Ты прав. Прошу прощения. Нехорошо шутить об этой трагедии. Давай угощу тебя пивом.

— С похорон, говоришь? Тяжелое дело, — смягчился здоровяк.

Учитель жестом заказал Владычице колец еще два пива. Когда она подала бутылки, он поставил одну перед металлистом, сделал вид, будто оступился, и с грохотом повалил табурет на пол.

— Надо же, — пробормотал Учитель. — Извини. Наверное, я выпил лишнего.

— Да ладно тебе, приятель! — Металлист нагнулся, чтобы поднять упавший табурет.

Учитель разбил бутылку о затылок татуированного, сбив его на пол, а второй ударил по ошеломленному лицу. Окровавленный человек едва успел застонать, как Учитель положил его предплечье на перекладину для ступней и сломал свирепым ударом ноги. Звук был таким, словно два биллиардных шара ударились друг о друга.

«Вот и не привлек к себе внимания», — подумал он, пятясь к выходу.

— Повторяй за мной, рыжий, — крикнул он от дверей. — Не психованный, просто нервный.

Глава шестьдесят шестая

Спецназу потребовалось пять минут, чтобы обследовать дом Бланшеттов. Обойдя со Стивом Рено все входы и выходы, мы решили переодеть одного полицейского консьержем, другого поставить в гардеробе вестибюля и посадить группу захвата в машине наблюдения на другой стороне улицы возле парка.

Трижды удостоверившись, что ловушка расставлена, я назначил Рено главным и решил сделать то, в чем давно назрела необходимость.

Солнце клонилось к горизонту над Нью-Джерси, когда я поставил машину у Риверсайд-парка, за своим домом. Прошел по тропинке, пересек заброшенную бейсбольную площадку и опустился на корточки возле молодого дубка на обращенной к Гудзону поляне. Подобрал несколько окурков, пустую бутылку из-под «Аквафины», бросил их в принесенный пакет и сел.

Это деревце мы посадили с детьми, когда умерла моя жена, Мейв. Похоронена она на кладбище «Гейтс оф Хейвен» в Уэстчестере, однако всякий раз, когда требовалось поговорить с ней, что бывало довольно часто, я приходил сюда. Просто сидел, и вскоре начинало казаться, что она здесь, со мной — только я не вижу ее, как бывало на бесчисленных пикниках, которые мы устраивали с нашей невероятно разношерстной командой.

Оглянувшись на дом, я заметил в кухонном окне двоих своих детей. Очевидно, Шону и Бриджит. Может быть, они тосковали по маме, так же как я. Хотели, чтобы она была здесь, заботилась о них, подбадривала, наводила порядок.

Я помахал им рукой. Они помахали в ответ.

— Мы держимся, малышка, — сказал я. — Не слишком хорошо, но что делать? И я люблю тебя, если это может служить утешением.

Когда я поднялся в квартиру, Мэри Кэтрин встретила меня у двери. Что-то стряслось. Я видел тревогу в ее обычно стоических голубых глазах.

— МК, — спросил я, — что случилось?

— Симус, — мрачно ответила она.

Я последовал за ней в мою спальню. Симус лежал на кровати поверх покрывала. Глаза его были закрыты, и выглядел он бледнее, чем обычно. Я подумал было, что он мертв. Потом он хрипло закашлялся, его впалая грудь сотрясалась под облачением священника с застежкой сзади.

«О Господи, — подумал я. — Плохо дело». Он все-таки заразился у нас гриппом. Для старика восьмидесяти с лишним лет это очень опасно. И внезапно я понял, как глупо было его вызывать. На миг меня охватила паника. Как быть, если я потеряю и его?

«Да все равно ты скоро его потеряешь, — прошептал на ухо злобный голосок. — Разве не так?»

Я отогнал эту мысль, пошел в кухню и взял из шкафа бутылку «Джеймсона». Налил на два пальца в хрустальный стакан, добавил горячего молока и сахара.

— Спаси тебя Бог, парень, — проговорил Симус, отпив несколько глотков. — Теперь помоги мне встать с кровати, и я отправлюсь домой.

— Только попробуй выйти отсюда, старик, — сказал я. — Лежи и допивай свое лекарство, а я вызову «скорую помощь».

Глава шестьдесят седьмая

Я все еще стоял над Симусом, когда вбежал мой старший, Брайан.

«Что еще?!»

— Папа! Мэри Кэтрин! В кухне! Скорее!

Я выбежал за ним в коридор. В кухне стояла полная темнота. Только затемнения нам и не хватало. В здании довоенной постройки электропроводка приходила в негодность, как и все остальное. Из-за нее мог начаться пожар. Я принюхался, нет ли дыма, соображая, куда положил предохранители.

— Ура! — закричали дети, когда вспыхнул свет.

На кухонном столе стояли две тарелки с пиццей и миска с салатом. Трент разливал диет-колу, перекинув через руку кухонное полотенце, словно сомелье ростом трех с половиной футов.

— Минутку. Вам положено быть в постелях, — сказал я, когда нам с Мэри Кэтрин велели сесть. — И откуда столько грязной посуды?

— Папа, остынь. Мы обо всем позаботились, — заверила Джейн, придвигая мне стул. — Нам уже лучше. Мы решили, что вам с МК тоже нужно отдохнуть. Вы перетрудились и должны немного расслабиться.

Когда мы поели, кофе был готов, и нас повели в гостиную.

Дальнейшее было просто невероятно. Дети включили пылесос. Игрушки и книжки с пола и мебели вернулись на положенные места. Один из моих весельчаков, оттирая влажным бумажным полотенцем пятно рвоты, затянул песню «Это нелегкая жизнь» из фильма «Энни», остальные подхватили.

Я сидел на старом диване, потягивая слишком сладкий кофе, и грудь моя наполнялась радостью. Мейв скончалась, но совершила чудо. Все лучшее в себе — чувство юмора, любовь к жизни, способность заботиться о других — она каким-то образом передала моим несмышленышам. Я понял, что эта ее часть никогда не умрет. Ее просто невозможно отнять.

— Папа, перестань! Мы хотим порадовать тебя, — огорчилась Джулия.

— О чем ты говоришь? Я в полном восторге, — сказал я, утирая слезы. — Это просто пайн-сол. Он всегда раздражает мне глаза.

Глава шестьдесят восьмая

Время близилось к восьми вечера, когда я подъехал к дому Бланшеттов на Пятой авеню. Поставил машину возле гидранта на стороне Центрального парка и, перед тем как перейти улицу, приветственно постучал в окно арендованного фургона, откуда вели наблюдение спецназовцы.

Мой приятель Пети помахал мне рукой. Теперь у него был новый партнер. Я усмехнулся, увидев лицо под смешной зеленой шляпой. Это был лейтенант спецназа Стив Рено.

— Добрый вечер, сэр. Можно привести вам психа? — коснулся он полей шляпы рукой в белой перчатке.

— Было бы здорово, — сказал я. — Не появлялся?

— Пока нет, но я получил десять долларов чаевых. Майк, ты знал, что Бланшетты сегодня вечером устраивают сбор средств на благотворительные цели? Какой тут смысл, если у этого типа единственная радость в жизни — убирать несметно богатых ньюйоркцев?

Я был ошеломлен.

— Ты не шутишь? Сбор средств? Пети, это правда?

Консьерж кивнул.

— Он готовился несколько месяцев. Отменять уже поздно.

Я покачал головой, не в силах поверить.

— Неужели они не поняли, что зять-психопат не шутит? — сказал я, направляясь к лифту. — Они ведь уже знают, что их дочь и внучки зверски убиты.

Дворецкий открыл двери пентхауса, и я увидел миссис Бланшетт возле бассейна. Рядом стояла служанка, а пожилой латиноамериканец в акваланге очевидно собирался нырнуть в воду.

— Что случилось? — спросил я.

Миссис Бланшетт уронила серьгу, — объяснил дворецкий.

— Почему бы просто не спустить воду? — удивился я.

— Сэр, бассейн не наполнится к девяти часам, когда приедут первые гости. Миссис Бланшетт предпочитает коктейли при свечах.

— Ну конечно, — сказал я. — Как я сразу не догадался.

На лице дворецкого появилось странное выражение.

— Детектив, — произнес он, — может, вам поговорить с мистером Б.? Позвать его?

Я кивнул, недоумевая, в чем тут дело. Когда дворецкий поспешно ушел, я направился к бассейну, чтобы попытаться вразумить миссис Бланшетт.

— Мэм? — произнес я.

Она повернулась, словно потревоженная кобра. Содержимое большого стакана с мартини в ее руке выплеснулось на платье служанки. По ее глазам и запаху изо рта я понял, что она уже выпила несколько таких. Может, выпивка и суетливость были ее способами справиться с горем.

— Принеси еще! — Миссис Бланшетт раздраженно сунула стакан испуганной служанке и обратила внимание на меня: — Опять вы. Что на этот раз?

— Должно быть, я толком не объяснил, какой опасности подвергаетесь вы с мужем, — сказал я. — Ваш зять — Томас Гладстон — наверняка собирается убить вас. Сейчас неподходящее время для приема гостей. Предлагаю вам отложить встречу.

— Отложить? — гневно переспросила она. — Общество помощи больным СПИДом в Конго планировало это мероприятие весь прошлый год. Стивен прилетает с Западного побережья только на один вечер. Самнер прервал отдых. Нужно назвать фамилии? Мы ничего не отложим.

— Миссис Бланшетт, на карту поставлены жизни людей, — напомнил я.

Вместо ответа она выхватила из сумочки сотовый телефон и резко открыла.

— Диандра? Привет, это Синтия, — сказала она. — Можешь позвать Морти?

Морти? Господи, хоть бы это был кто-то другой. Называть мне его фамилию не стоило.

Миссис Бланшетт отошла, продолжая говорить. Ныряльщик, поднявшийся, чтобы глотнуть воздуха, посмотрел ей в спину и пробормотал испанское слово, которое не произносят в приличном обществе.

— Ты прав, amigo, — сказал я.

Она вернулась и сунула мне телефон, не скрывая торжества.

— Кто это? — прозвучал грубый мужской голос.

— Детектив Майкл Беннетт.

— Слушай внимательно, Беннетт. Это мэр Карлсон. Больше никаких дурацких разговоров об отмене этого мероприятия. Нельзя отступать перед терроризмом.

— Это не отступление перед терроризмом, сэр.

— А будет выглядеть именно так. К тому же приглашены мы с женой, поэтому разговор окончен. Позвони комиссару, скажи, пусть усилит охрану. Ясно?

Правильно, хотелось мне сказать ему. Бросающееся в глаза присутствие полиции в самый раз для нашей ловушки. Что такое еще несколько убитых граждан по сравнению с вечеринкой возле бассейна?

Но я должен был держать подобные мысли при себе.

— Как скажете, ваша честь, — ответил я.

Глава шестьдесят девятая

Вернувшись в пентхаус, я встретил дворецкого, возвращающегося с Генри Бланшеттом. Такого несчастного лица, как у него, я давно уже не видел.

— Детектив, вы наверняка находите поведение моей жены несколько странным, — сказал он.

— Не мне об этом судить, — пожал я плечами.

— У нее был сильный стресс, — вздохнул он. — В прошлом гораздо меньшие расстройства приводили ее в критическое состояние. Она замыкается в себе, начинает пить, принимать таблетки, и общаться с ней невозможно. Но вскоре наступит перелом, и я отвезу Синтию в клинику, где ее хорошо знают. Так что потерпите нас еще какое-то время.

— Приложу все силы, — сказал я, искренне жалея Генри. Испытывая горе, подвергаясь серьезной опасности, он вынужден был заботиться о безумной жене.

В течение получаса я выполнял приказы мэра. Позвонил Макгиннессу, и через несколько минут прибыли дюжина полицейских и детективов в штатском.

Я взял у дворецкого список гостей и приставил к нему у дверей пентхауса двоих полицейских, хотя вряд ли они могли соотносить фамилии с лицами знаменитостей из Голливуда, Вашингтона и с Уолл-стрит. Еще несколько изображали официантов, а двое дежурили возле бассейна на крыше. Кто знает, на что способен этот маньяк. Он мог взобраться по стене здания, как Человек-паук, или прилететь на параплане.

Потом я поднялся наверх и проверил напоминающее пещеру двухэтажное жилье. Там могла бы с комфортом разместиться вся моя семья, и еще остались бы свободные комнаты. Я прошел мимо просторных хозяйских спален, отделанных мрамором ванных, показавшихся бы шикарными древнеримскому императору, и белой библиотеки в стиле французского шато с изукрашенным потолком. Казалось, я вот-вот обнаружу золото и драгоценные камни, сваленные на восточные ковры, словно пиратская добыча.

Проходя мимо очередной спальни, я услышал, что там кто-то есть. Вероятно, одна из целого взвода служанок, но лучше проверить, чем потом кусать локти. Я достал «глок», держа его у бедра.

Но в приоткрытую дверь я увидел не служанку, а миссис Бланшетт. Она сидела на маленькой кровати с балдахином и плакала. Муж обнимал ее, по щекам его текли слезы. Она причитала, раскачиваясь взад-вперед, а он что-то шептал ей на ухо.

Возвращая пистолет в кобуру, я понял, что это комната их дочери. И пожалел о своем неприязненном отношении к этой женщине. Несмотря на свои выходки и агрессивность, она мучилась в аду. В очень хорошо знакомом мне месте.

Я бесшумно отошел и увидел фотографию Эрики с мужчиной, видимо, первым мужем. Они шли с девочками по морскому пляжу с белым, залитым солнцем песком, смеялись, и ветер отбрасывал назад их волосы.

Глядя на них, я подумал о снимках Мейв и детей. О счастливых, запечатленных навеки минутах. Это именно они, так ведь? Самое главное в жизни. То, чего невозможно отнять. Минуты, разделенные с семьей и людьми, которых любишь.

Глава семидесятая

Я координировал охрану из громадной кухни — из ее самого отдаленного, укромного уголка. Меньше всего мне хотелось стоять у парадной двери пентхауса, когда появится мэр, чтобы получить от него еще один разнос.

Хотя времени на усиление безопасности было мало, с делом мы справились отлично. К счастью, сотрудники превосходной, снабжающей Бланшеттов продовольствием фирмы обслуживали мероприятия ООН и президентские приемы, поэтому сведения о них нам удалось получить у федералов без особых трудов.

Раздражали нас хозяева и гости. Когда мы потребовали проверки сумок у входа, я подумал, что кое-кому из визитеров понадобится успокоительное. Компромисса мы достигли лишь после того, как по распоряжению мэра, доброго друга миссис Бланшетт, из манхэттенского уголовного суда доставили одолженный на время металлодетектор.

Мы были приятно удивлены, лишь когда шеф-повар, кейджанка из Луизианы Бабушка Жозефина, узнала, что один из наших детективов добровольно поехал в Новый Орлеан после урагана «Катрина». Тут все полицейские получили сколько влезет гамбо, креветок и кукурузного хлеба.

В течение первого часа самые привилегированные гости прибывали на неофициальный ужин перед деловой частью вечера. Разумеется, я был доволен, что все в безопасности, но, с другой стороны, надеялся, что Гладстон сделает ход, и мы сможем его схватить. Его непредсказуемость судорогой сводила желудок. А может, причиной была острая джамбалайя Бабушки Жозефины.

Едва я окончил радиосвязь со скучающими спецназовцами на другой стороне улицы, как мне позвонила по сотовому Бет Питерс.

— Ты не поверишь! — взволнованно сказала она.

— Что такое? Мы его взяли?

— Приезжай на Западную Тридцать восьмую неподалеку от Одиннадцатой авеню и все увидишь сам.

Что это означало, черт возьми? Западная Тридцать восьмая? Там был убит французский фотограф.

— Кончай, Бет, это не шутки, — раздражился я. — Что происходит?

— Право, не знаю, Майк, — ответила она. — Ты мне здесь очень нужен. Это место легко найти. Перед зданием стоят пожарные машины. Да, и лошади.

Лошади?

Глава семьдесят первая

Когда я припарковал свой «шевроле» за грузовиком пожарной охраны, верхний этаж жилого дома в Адской кухне еще дымился.

Бет Питерс подошла, когда я вылезал из машины не веря своим глазам.

— Я же говорила, ты удивишься, — сказала она.

Бет была права. Испуганные лошади толклись у тротуара за пожарным оцеплением. Один из пожарных, провожая нас в здание, пояснил, что конюшня Центрального парка находилась совсем рядом.

Стены квартиры на верхнем этаже были чернее кейжанских креветок, которые я только что ел. Бет поговорила с экспертами в одной из выгоревших комнат, потом дала мне респиратор и подвела к груде пепла в центре.

При виде сильно обгорелого тела желудок сжался, словно кулак. Огонь превратил его в кошмар из фильма ужасов.

— Я поручила экспертам сделать снимки зубов. Мы уже нашли в Локаст-Вэлли дантиста Томаса Гладстона и попросили отправить нам электронной почтой его рентгеновские снимки, — сказала Бет. — Криминалисты уверены, что они совпадают.

Я потрясенно уставился на нее:

— То есть это Гладстон?

— Он самый.

Я знаю, что к мертвым нужно относиться почтительно, но не смог подавить радости. Омерзительное дело наконец завершилось. Я не сдержал улыбки и с облегчением выдохнул, казалось, со спины у меня сняли пианино.

— Что уже известно? — спросил я. — Он покончил с собой? Сошел со сцены в сиянии славы? Не могу поверить, что все это позади.

Но Бет покачала головой. Я поспешил с выводом.

Она присела на корточки возле трупа и коснулась затянутым в перчатку пальцем маленького отверстия в виске. Потом показала на другой стороне головы рваную выходную рану:

— Застрелиться легко, но сжечь себя после этого гораздо сложнее.

— Может быть, он сделал все в обратном порядке, — в отчаянии предположил я. — Сперва поджег квартиру, а уже потом...

— Тогда что случилось с пистолетом? Даже если бы он расплавился, остались бы следы, но эксперты их не нашли. И Клири обнаружил в верхней части левой руки личинки мух. То есть мертвец пролежал два или три дня. А это означает...

— Что Гладстон не мог убить всех этих людей, — закончил я. И зажмурился.

— Очень жаль, Майк, но это не наш стрелок.

Я вполголоса выругался. «Если это не Томас Гладстон, то, черт возьми, кто же?»

— Это еще не все, — сказала Бет и повела меня в чулан с опаленными дверью и стенами.

Я поморщился при виде скорчившейся там молодой блондинки. Огонь почти не тронул ее, но она была убита выстрелом в затылок.

— Мы нашли ее сумочку. Ее имя Уэнди Стаб. Двадцать шесть лет. Агент по рекламе в «Стоа холдингс», известной рекламной фирме.

Рекламный агент? Каким образом она связана с этим?

Слушая, как пожарные ломают стены в других комнатах, я думал, принимает ли пожарное управление новых сотрудников. Почему бы не сменить профессию в середине жизни? Или, может, в соседней конюшне пригодился бы психолог, способный помочь бедным животным справиться с полученной травмой.

Бет вопросительно смотрела на меня.

— И что теперь?

— Ты меня спрашиваешь?

Глава семьдесят вторая

Час пик был в полном разгаре, когда такси Учителя остановилось позади полицейской машины перед отелем «Пьер». Учитель слегка занервничал, но Уинни, швейцар, подбежал распахнуть дверцу с таким видом, будто все в порядке. Полицейские приезжают в такие места не арестовывать людей — защищать. И все-таки, вылезая из машины, Учитель прятал лицо и держал руку на рукоятке «кольта» сорок пятого калибра.

— С возвращением, мистер Мейер! — сказал Уинни. — Как путешествие? Вы ведь были в Париже?

Учитель говорил в отеле, что собирается именно туда. На самом же деле он побывал бесконечно дальше. В других измерениях. Но теперь возвратился домой, туда, где, собственно, жил последние три года.

— Все было замечательно, Уинни. Особенно еда, — сказал Учитель, невольно улыбаясь — Уинни ему нравился. Он решил переехать во всемирно известный отель после смерти матери, став единственным наследником двадцати четырех миллионов Рональда Мейера. Он решил, что его долг перед отвратным отчимом — растранжирить его состояние до последнего цента. А квартира в Адской кухне служила ему командным центром.

— Зачем здесь полицейский автомобиль? — небрежно спросил Учитель.

— О Господи. Вы, должно быть, не слышали. Один сраный, прошу прощения, маньяк последние два дня убивает людей. Убил стюардессу в отеле на Шестой авеню, метрдотеля в клубе «Двадцать одно». Все это есть в газетах. Думают, это какой-то богатый тип, у которого крыша поехала. Поэтому полицейские торчат повсюду, где есть богачи. По-моему, в этом городе они везде. Мой двоюродный брат Марио, он сержант в Гринвич-Виллидже, говорит, обычные люди из-за этого психуют. Разве не сошел этот мир с ума?

— Тут я с тобой согласен, Уинни, — кивнул Учитель, выпуская рукоятку пистолета.

— А скажите, есть что-то новое в передаче «Фуд нетуорк»? Мне уже надоел этот Эмерил с его вечным «бам».

— Терпение, Уинни. Все хорошее приходит к тем, кто ждет.

— Ясно, мистер Мейер. Что такое? Нет багажа?

— Какая-то путаница в аэропорту Кеннеди. А сейчас мне очень хочется выпить.

— Мне тоже, мистер Мейер. Выпейте как следует.

В отеле консьерж Майкл повторил приветствие Уинни. «Мистер Мейер! С возвращением, сэр». Учителю консьерж нравился почти так же, как Уинни. Майкл был невысоким, белокурым, осмотрительным человеком с мягким голосом, услужливым без подхалимства — поистине замечательным.

Без ненужной суеты Майкл пошел в почтовое отделение за столом портье и принес почту Учителя.

— Да, пока не забыл, сэр. Час назад звонили из магазина «Барнис». Вас ждет последняя примерка.

Учитель почувствовал, как по спине побежали мурашки. Его костюм готов.

Тот, в котором он встретит смерть.

Поистине последняя примерка.

— Превосходно. Спасибо, Майкл, — сказал он, перебирая почту.

И замер, дойдя до большого конверта с вытесненным приглашением. «Мистер и миссис Бланшетт» гласил обратный адрес. Учитель удовлетворенно кивнул. Люди из прежней жизни включили его в список гостей. Бланшетты не имели понятия, кто такой мистер Мейер.

— Майкл? — произнес он, постукивая конвертом по стойке портье.

— Да, сэр?

— Мне нужно срочно кое с кем встретиться.

— Будет сделано, мистер Мейер.

— И пришли, пожалуйста, бутылку шампанского. Думаю, розовое отлично подойдет.

— «Дом Периньон»? «Вдова Клико»? — спросил Майкл, тут же вспомнив его любимые сорта.

— Как насчет того и другого? — обаятельно улыбнулся Учитель. — Живешь один раз, Майкл. Один только раз.

Глава семьдесят третья

Через час сорок пять минут Учитель стоял перед высоким трельяжем.

— Вам нравится, сэр? — спросил продавец и трепетно перечислил: — Темно-синий кашемировый костюм от Джанлуки Исайя, шелковая рубашка от Баттистони, туфли ручной работы от Беттани и Вентура.

Учитель должен был признать, что выглядит великолепно. Как Джеймс Бонд в исполнении последнего актера, включая его теперь белокурые после окраски волосы.

— Замечательно, — усмехнулся Учитель. — Так сколько с меня?

Продавец подошел к кассовому аппарату.

— Восемь тысяч восемьсот двадцать шесть, — подытожил он через минуту. — Включая носки.

О, включая носки за триста долларов. Выгодная покупка, нечего сказать.

— Если аксессуары слишком дороги, могу предложить вам другие. — В голосе продавца прозвучала нотка снисходительности.

Учитель видел периферийным зрением, что безупречно одетый холуй имеет наглость пренебрежительно смотреть на него.

Эти продавцы в торгующих роскошью магазинах абсолютно не умеют себя вести. «Когда ты последний раз выкладывал за костюм четырехзначную сумму?» — хотелось спросить Учителю у этого поганца. Он прямо-таки напрашивался на пулю.

Учитель сделал глубокий вдох. «Успокойся, — приказал он себе. — Вот так. Молодчина. Сейчас не время для нелепой вспыльчивости. Когда ты так близко к финишу».

— Я возьму все. — Учитель открыл свой портфель, стоявший за трельяжем. Пальцы скользнули по стальной рифленой рукоятке одного из пятидесятизарядных штурмовых пистолетов «Интратек-9», ждавших там под мягкой кожей, словно верные друзья.

Он неохотно отвел от них руку, достал бумажник и черную карточку «Американ экспресс».

— Даже носки.

Глава семьдесят четвертая

— Как зовут вашу красивую собачку? — Таксист с тюрбаном на голове остановил машину перед музеем Метрополитен.

— Завершающий штрих, — ответил Учитель. Расплатился с ним и вытащил из машины серебристую собачку мальтийской породы.

Он купил ее в дорогом зоомагазине по пути сюда. Собачка послужит прикрытием для разведки вокруг дома Бланшеттов. Нарядный щеголь, прогуливающий декоративную псину в этой части Верхнего Ист-Сайда, не привлечет к себе никакого внимания.

Учитель пошел по парковой стороне Пятой авеню с рвущейся с поводка собачкой. Пройдя квартал к югу от Бланшеттов, он остановился и оглядел суету перед многоквартирным домом. «Бентли» и лимузины стояли в два ряда, носились туда-сюда швейцары, богатые леди и джентльмены вылезали из машин и шли под тент.

Странно. Он ожидал дополнительной охраны, но, кроме швейцаров, никого не видел. Что ж, тем лучше. Губы Учителя искривились в усмешке. Судьба хранит его. Он находится у финишной черты и вот-вот войдет в круг победителей.

План его заключался в том, чтобы воспользоваться полученным приглашением. Если его остановят и захотят обыскать, он просто выхватит оба пистолета, теперь висевших в кобурах под мышками и откроет огонь. Проложит путь к лифту. Поднимется наверх и уничтожит всех, настолько безмозглых, чтобы встать между ним и Бланшеттами.

Он даже надеялся, что ему окажут сопротивление. Бланшетты услышат стрельбу и подумают кое о чем, пока он будет приближаться.

Учитель настраивался на боевые действия, но, проходя мимо фургона на парковой стороне улицы, услышал в нем странное потрескивание. «Радио», — понял он. В доставочном фургоне! Полицейские все же устроили наблюдение.

Что делать, если его окликнут? Стрелять? Бежать? Может быть, это его последний шанс, и нужно напасть на Бланшеттов немедленно. Перебежать улицу и, стреляя, ворваться в вестибюль.

Он коснулся холодной рукоятки пистолета под левой подмышкой и большим пальцем снял его с предохранителя. Что бы ни случилось, умрет он не один. Чертовы полицейские. Поваландались бы еще пять минут.

Учитель рискнул быстро оглянуться. Никого! Полицейские не появляются. Он облегченно вздохнул. Слава Богу, ему везет.

Пройдя два квартала к северу, Учитель свернул влево и быстро вошел в Центральный парк. Собачка, которую он тащил по темной дорожке, затявкала, действуя ему на нервы.

«Успокойся», — приказал себе Учитель. Он был в безопасности. Снова поставил оружие на предохранитель. Теперь следовало подумать. Здесь не то что возле «Пьера», где полицейская машина стоит прямо на виду. Явный недостаток охраны во время важного события должен был насторожить его.

Эти сукины дети устроили какую-то западню! Наверняка ее организовал этот козел Майк Беннетт. Он как-то догадался, что запланировал Учитель.

Но Учитель прочел немало трудов о стратегии и войне. «Искусство войны», «Книгу пяти колец», «Государя». Они, в сущности, рекомендовали один и тот же простой и вместе с тем замысловатый ход. Выясни, чего ждет от тебя противник, и действуй иным образом. Хитрость — это и есть искусство войны.

Дойдя до середины беговой дорожки вокруг пруда, учитель принял решение. Вдохновенный план избежать западни Беннетта — совершить последний рывок. Да, это то, что нужно. Да, да, да. Он прижал к кривящимся в усмешке губам дрожащую руку. Вот-вот. Превосходный вариант, лучше изначального. Он вырвет победу в последнюю секунду.

Усмешка его стала шире, когда он представил себе ошеломленное лицо детектива Беннетта.

— Ты сделал свой выстрел, Беннетт, — прошептал Учитель.

Он выпустил поводок и пинком отшвырнул завизжавшую собачку в темноту.

— Теперь мой черед.

ЧАСТЬ ЧЕТВЕРТАЯ
ВОРУЮЩИЙ ИЗ КРУЖКИ

Глава семьдесят пятая

Сидя в темной исповедальне церкви Святого Духа, отец Симус Беннетт бесшумно высморкался и поднял свой мини-магнитофон фирмы «Сони».

— Наблюдение за кружкой для сбора в пользу бедных, — прошептал он в микрофон. — День второй.

«Ничего я не болен», — подумал он. Он не болел ни разу в жизни. Валяться в постели? Неужели Майк не знает, что в его возрасте этой опасности нужно избегать любой ценой? Как знать, сможет ли он потом подняться? Оставаться на ногах и быть деятельным — вот что необходимо.

Кроме того, он должен руководить приходом. Не говоря уж о поимке подлого вора из кружки. Теперь ясно, что никто больше этого не сделает. Хваленое полицейское управление не поможет, это уж точно.

Двадцать минут спустя он начал клевать носом и тут услышал звук — очень слабый, неуверенный, еле слышный скрип. Подавив чих, Симус медленно отодвинул бархатную завесу исповедальни.

Шум доносился из среднего прохода к передней двери. Она была приоткрыта на дюйм. Сердце Симуса зачастило, когда из-за нее появилась в полумраке темная человеческая фигура. Он зачарованно смотрел, как вор остановился у последней скамьи, запустил руку в кружку и что-то вынул.

Это оказалась подставка, на которую падают все опущенные в кружку деньги. «Вот как, значит, это делалось, — подумал Симус, глядя на преступника, высыпающего в ладонь монеты и несколько ассигнаций. — Изобретательно. Выдающийся ум для грабителя кружки».

Симус разулся, тихо встал и в одних носках крадучись вышел в проход. От преступника его отделяло меньше десяти футов, он бесшумно приближался к нему и вдруг ощутил в носу неприятное покалывание, такое сильное, что Симус не сдержался.

Чих прозвучал в мертвой тишине церкви как выстрел. Испуганный вор резко оглянулся и бросился к двери. Симус успел сделать два быстрых шага, поскользнулся и повалился вперед, вытянув руки.

— Попался! — выкрикнул он, схватив вора за талию.

Они стали бороться, и монеты со звоном посыпались на мраморный пол. Противник Симуса перестал вырываться и... заплакал.

Симус крепко схватил его за шиворот, подтащил к настенному выключателю и включил свет.

И в изумлении воззрился на открывшееся его глазам. То был ребенок. И не просто ребенок.

Грабителем оказался Эдди, девятилетний сын Майка.

— Господи, Эдди. Как ты мог? — сокрушенно спросил Симус. — Эти деньги идут на покупку еды для бедных, у которых ничего нет. А ты... ты живешь в хорошей квартире, у тебя есть все необходимое, и еще получаешь карманные деньги. Не говори, будто ты маленький и не знаешь, что воровать дурно.

— Я знаю, — сказал Эдди, утирая слезы и глядя под ноги. — Только не могу удержаться. Может, мои настоящие родители были преступниками. Наверно, у меня плохая кровь. Воровская.

Симус возмущенно фыркнул.

— Воровская кровь? Что за ерунда? — Он схватил парнишку за ухо и повел к двери. — Бедная Мэри Кэтрин, должно быть, беспокоится о тебе. Отправляйся домой. У тебя будет вся задница в синяках, когда отец узнает об этом.

Глава семьдесят шестая

Ко времени моего возвращения к Бланшеттам на Пятую авеню вечеринка была в разгаре. Выйдя из лифта, я услышал рев танцевальной музыки. В обшитом панелями холле меня едва не ослепили сполохи света — высокопоставленные чиновники и их экзотичные жены развлекались в своей манере.

«Да, полицейскому в этом городе скучать не приходится», — подумал я. Из ада выгоревшей квартиры до «Ярмарки тщеславия» за десять минут.

Дворецкий объявил, что мистер и миссис Бланшетт не могут присутствовать из-за чрезвычайного происшествия в семье, но хотят, чтобы гости веселились. Они мне поверили. Разодетые молодые люди и едва прикрытые девицы вертели бедрами в мерцающем свете. Я прошел мимо живой статуи, трансвестита, изображающего Бетти Пейдж, женщины в костюме танцовщицы из Лас-Вегаса, парня, наряженного птицей. Я покачал головой, когда он прошествовал, хлопая крыльями. Может, он представлял исчезающий вид пернатых, который пытались сохранить эти люди? Нет, этот вечер посвящался другой благотворительной цели, только я не мог вспомнить, какой.

— Кто твой дерматолог? — прокричали возле моего уха, когда я проталкивался через толпу.

— Эти белые трюфели очень сложные и вместе с тем совсем простые, — послышалось с другой стороны.

Я обернулся, когда меня хлопнули по плечу. Это был мужчина средних лет в черном костюме, со следами подозрительного белого порошка под носом.

— Слушай, я не видел тебя после открытия, — сказал он. — Как там на Майорке?

— Замечательно, — ответил я, пятясь к кухне.

Я даже заметил одного из редакторов «Нью-Йорк таймс», которого едва не арестовал, он разговаривал возле бассейна с мужчинами в костюмах. Возможно, они решали судьбу завтрашних новостей.

Добравшись наконец до своего командного пункта, я посидел немного, прижавшись лбом к прохладному, успокаивающему нервы граниту кухонного стола.

Последнее открытие, засевшее в моей больной голове, было лишено смысла. Как мог Томас Гладстон не быть тем, кого мы искали?

Как ни пытался я свести факты воедино, ничего не получалось. Гладстон разводится, теряет работу, а потом кто-то другой убивает его семью? И как быть с тем маленьким фактом, что стюардесса «Эр Франс» опознала его по фотографии в альбоме? Она солгала? Если да, то почему? Нужно ли допрашивать ее снова?

Я перестал ломать голову и позвонил охранникам. Все вроде бы в норме. На улице спокойно. Все двери и окна первого этажа проверены и перепроверены.

— У нас повсюду натянута проволока, — сообщил по радио из вестибюля Стив Рено.

— Как мои нервы, — ответил я.

— Выпей, Микки, стакан шампанского, — сказал лейтенант спецназа. — Или займись любовью с одной из светских девиц. Мы не проболтаемся. Тебе нужно немного расслабиться.

— Предложение соблазнительное, — ответил я. — Но к счастью, Стив, мне нужно только поспать.

Глава семьдесят седьмая

Возле другого здания с роскошными квартирами Учитель присел возле решетки у тротуара и принялся открывать ее ломом. Полицейские за этим местом не наблюдали, он удостоверился.

Через несколько минут он откинул решетку. Влез в люк и бесшумно закрыл ее за собой. Противно, отвратительно, но если хочешь проникнуть в одно из манхэттенских довоенных зданий, неприступных, как Форт-Нокс, нужно потерпеть.

Луч тонкого фонарика, который Учитель держал во рту, играл на бетонных стенах. Грязь пропитала его трехсотдолларовые носки — горы сигаретных окурков и оберток от жвачки; мокрый мусор; пустая ампула из-под крэка.

Он снял пиджак, скомкал его и, приложив к пыльному подвальному окну под решеткой, резким ударом выбил стекло. Замер, прислушиваясь, не раздастся ли крик или сигнал тревоги. Тишина. Просунул внутрь руку, нашел оконный шпингалет и вполз, извиваясь, в темный подвал.

Он быстро пошел по коридору, окаймленному пыльными шкафами, полными ненужных вещей — старых деревянных лыж, велоэргометров, восьмидорожечных магнитофонов. «Высшее общество хранит ту же дрянь, что и большинство других идиотов, — подумал он и замедлил шаг возле двери, из-за которой доносилась испанская музыка — наверняка квартира управляющего. И бесшумно прошел мимо.

Свернув направо, Учитель вошел в грузовой лифт старого образца, позволил наружной двери закрыться и задвинул медную решетку внутренних створок.

И тут заметил, что его рука в крови. Алые капли скатывались по большому пальцу и падали на потертый линолеум.

Поморщившись, Учитель закатал рукав. Черт, он порезался, когда выбивал окно. Как вам это нравится? Он был так возбужден, что ничего не заметил.

«Чуть-чуть крови, стоит ли обращать на это внимание?» — подумал он, снимая с предохранителей штурмовые пистолеты, и стал подниматься.

Скоро ее будет много.

Глава семьдесят восьмая

Когда Учитель выпустил рычаг грузового лифта, кабина слегка содрогнулась и остановилась. Гудевший мотор, щелкнув, умолк, и он затаил дыхание. Тишина.

Пьянящее чувство восторга окрыляло, словно на параде, организованном фирмой «Мэйси» в День благодарения, он проглотил большой, наполненный гелием шар. Сколько лет он растратил попусту, отрицая свое призвание? Ему нравилось воевать со всеми и с каждым. Это ощущение было острее секса, наркотиков и рок-н-ролла, вместе взятых.

«Совсем скоро», — подумал он, бесшумно раздвигая внутренние створки.

Они открылись на узкую площадку, на служебный вход с двумя дверями и мусорными баками. Учитель приложил ухо к ближайшей двери и услышал за ней шум воды, текущей из крана, стук поставленной на плиту кастрюли, громкие, похоже, детские голоса.

Он прижал большой палец поврежденной руки к кнопке звонка. Послышались приближающиеся шаги. Он собирался сказать, что ему поручено доставить пакет в квартиру Беннетта. Или, если приоткрывшаяся дверь будет на цепочке, ударить ее плечом.

Но язычок замка щелкнул, и дверь стала открываться внутрь.

«Надо же, — подумал Учитель. — Даже не спрашивают «кто там?». Неужели не слышали о волне преступности?».

Когда дверь открылась полностью, сердце у него зачастило.

Глава семьдесят девятая

Выйдя минут через десять из кухни, я увидел, что гости Бланшеттов развлекаются вовсю. Мэр отплясывал под электронную музыку с чьей-то женой, и она хохотала во все горло, словно гиена. Остальные вели себя скорее как шумные подростки, чем исполненные достоинства взрослые, какими, несомненно, бывали на работе.

Я недоуменно переглянулся с полицейским из Северного Манхэттена, игравшим роль официанта.

— Похоже, вечеринка не начнется, пока этот наряженный птицей тип не станет изображать из себя диск-жокея перед твоим Поллоком, — сказал он.

Тут у меня в ушной гарнитуре послышался голос:

— Майк? Алло, Майк? Можешь зайти сюда?

Говорил, похоже, Джекобс, детектив из Северного Манхэттена.

— Куда именно?

— В кухню.

— Что случилось?

— Ты нужен здесь, понимаешь? Покажу, когда придешь. Конец связи.

«Что там еще?» — подумал я, возвращаясь в кухню Бланшеттов. Тон у Джекобса был странный. Пока все шло нормально, может быть, что-то стряслось.

Я поспешил в кухню.

И замер.

Джекобс стоял у задней двери над молодым человеком, лежавшим на полу. Я узнал в нем детектива Дженелли из девятнадцатого участка.

— О Господи! Что с ним? Кто-то оглушил? Убийца все-таки появился?

Дженелли попытался приподнять голову, но она со стуком опустилась на пол.

— Он цел-невредим, — ответил Джекобс. — Тупой новичок, заскучал у бассейна, начал пить пиво и играть на выпивку с гостями-студентками. Потом одна сообщила мне, что он отключился. Извини, Майк, что позвал тебя, но надо как-то спрятать парня, если он попадется на глаза мэру, его уволят.

— И его, и меня, — сказал я. — Открой заднюю дверь и вызови грузовой лифт, пока нас никто не видел.

Глава восьмидесятая

Когда раздался звонок в заднюю дверь, Мэри Кэтрин вытирала руки кухонным полотенцем. Она решила, что это какой-то рассыльный, которого пропустил консьерж внизу, такое случалось довольно часто. Никто не мог бы подняться сюда, минуя его.

Но, увидев стоявшего там человека, она выронила полотенце. Взгляд упал сперва на его окровавленную руку, потом на два зловещих пистолета и широкую ухмылку.

— Полагаю, это квартира Беннетта, — сказал он, приставив короткий черный ствол одного из пистолетов к ее носу. С его запястья в нескольких дюймах от ее расширенных глаз капала кровь.

«О Господи, — подумала она, силясь оставаться спокойной. — Что делать? Закричать? Но это может взбесить его, да и кто услышит? Боже! Этот человек здесь, и хуже всего, что все дети дома!»

Продолжая улыбаться, он сунул пистолет в кобуру под пиджаком.

— Не хочешь пригласить меня войти?

Мэри Кэтрин нехотя отступила назад. Больше ей ничего не оставалось.

— Спасибо, — сказал он с насмешливой вежливостью.

Увидев за кухонным столом Шону и Крисси, Учитель опустил второй пистолет и спрятал за

спину. Слава Богу и за это. Они смотрели на него
со спокойным любопытством. В их возрасте внезапное появление незнакомца — всего одна из тысяч загадочных вещей. Грипп, из-за которого дети
Беннетта не ходили в школу, нарушил время их
сна.

— А вы кто? — спросила Крисси. Слезла со
стула и направилась к нему знакомиться.

Мэри Кэтрин сглотнула, борясь с желанием
броситься к ребенку и подхватить его. Вместо этого она преградила путь Крисси и взяла ее за руку.

— Я друг твоего папы, — ответил мужчина.

— А я Крисси. Вы тоже полицейский? Почему
у вас рука в крови? И что вы прячете?

— Заставь ее замолчать, — негромко велел
Учитель Мэри Кэтрин. — Эти глупые вопросы
«почему небо голубое?» меня раздражают.

— Девочки, — сказала она, — идите смотреть
фильм.

— Но ты же говорила, что «Гарри Поттер»
страшный, — удивленно напомнила Шона.

— Шона, этот фильм будет хорошим. Идите.
Быстро.

Девочки убежали, испуганные суровым тоном
няни, а не человеком, который мог их убить.

Он снял с разделочной доски морковку и впил-
ся в нее зубами.

— Позвони Майку, скажи, что ему нужно
срочно ехать домой, — произнес он, жуя. — Ты не
солжешь, если сообщишь, что в семье проблема.

Глава восемьдесят первая

— Ну вот, молодой человек, настал Судный день. — Эдди Симус открыл дверь в квартиру Беннетта.

Тут кто-то с другой стороны дернул ее на себя, вырвав у Симуса дверную ручку.

— Замечательный способ встречать... — возмущенно заговорил Симус.

И умолк, услышав громкий щелчок возле уха. Посмотрел влево и увидел большой пистолет. Рослый, белокурый мужчина в костюме приставил дуло к его виску.

— Еще один ребенок? — сказал он, глядя на Эдди. — Это что, детский сад? И священник? Ну, этого следовало ожидать. Теперь понятно, почему Беннетт работает сверхурочно. Я бы работал по двадцать четыре часа семь дней в неделю, если бы пришлось жить в этой психиатрической палате.

Симус мгновенно все понял, и желудок его сжался. Это был тот самый серийный убийца, которого ловил Майк. Должно быть, он зациклился на Майке. Псих.

«Может, я сумею успокоить этого человека, — подумал Симус. — Наставлю его на путь истинный. В конце концов это моя работа».

— Вижу, ты взволнован, сын мой, — сказал он, когда убийца повел его в гостиную. — Я помогу тебе успокоиться. Облегчи душу, исповедуйся в грехах. Исповедаться никогда не поздно.

— Существует одна маленькая проблема, выживший из ума осел — никакого Бога нет. Так что я повременю с исповедью.

«Выживший из ума? — гневно подумал Симус. — Нужно переходить к плану Б».

— Ну что ж, — заговорил он, не обращая внимания на пистолет и вызывающе глядя в глаза убийце. — Меня радует, что ты отправишься прямиком в ад, где тебе и место.

Мальчик ахнул.

— Полегче, падре. Моя вера не запрещает убивать детей. Священников, кстати, тоже.

— Для тебя я монсеньор, мерзавец! — Симус продолжал свирепо смотреть на него, словно им предстояло сражаться на ринге пятнадцать раундов.

Мальчик ахнул еще громче. И Симус со стыдом понял, что убийца прав. Он поступает, как старый дурак. Нужно взять себя в руки и позаботиться о детях.

Психопат усмехнулся:

— Старик, мне нравится твоя смелость, но обзови меня еще раз, и будешь служить полуночную мессу у жемчужных ворот вместе со святым Петром.

Неожиданно Фиона, ближайшая в группе сбившихся в кучу детей, издала гортанный звук и согнулась. Поняв, что происходит, убийца отскочил назад. Но недостаточно быстро, и на его туфли хлынула струя рвоты.

«Молодец, девочка», — подумал Симус.

Убийца скривился в отвращении, смахивая рвоту с шикарной обуви. Но смутился, увидев, что Джейн торопливо описывает в тетради эту сцену.

— Таких, как вы, поискать, — негромко произнес он. — Беннетт поблагодарит меня, когда я избавлю его от этой напасти.

Глава восемьдесят вторая

После того как инцидент с Дженелли был благополучно улажен, позвонила Мэри Кэтрин. Сказала, что Джейн серьезно заболела — подскочила температура, и ее непрерывно рвет. Мэри не знала, вызывать ли «скорую помощь». Не могу ли я немедленно приехать?

Выбора не было. К счастью, у Бланшеттов все спокойно. Я оставил Стива Рено за старшего и направился к выходу. Мэр, которого фотографировали в фойе, злобно посмотрел на меня, когда я проходил мимо. Недоволен, что убийца так и не появился?

Прохладный воздух и отсутствие оглушающей танцевальной музыки подействовали на меня как освежающий напиток. Я перешел улицу к своей машине, несколько раз глубоко вдохнул, повертел затекшей шеей. Завел мотор и резко свернул направо, на Восемьдесят пятую улицу.

По пути через совершенно темный Центральный парк к Уэст-Сайду я снова задумался. Почему кто-то убил Томаса Гладстона, его семью и, очевидно, наобум, нескольких высокомерных ньюйоркцев?

Безумие? Разумеется, этот человек — псих, но организованный, умный, хорошо владеющий собой. Я не верил, что убийства совершены импульсивно. У него имелись на то причины. Месть? Может быть, но за что? Невозможно даже предположить.

Несомненно одно — этот человек как-то связан с Гладстоном.

Я выключил полицейское радио и включил обычное, чтобы успокоить больную голову. Куда там: новостной канал вел передачу о серийном убийце, Си-би-эс тоже, поэтому я выбрал спортивно-развлекательную программу.

Но спасения не было и здесь.

— Нам позвонил Марио со Стейтен-Айленда, — сообщил ведущий. — Что тебя волнует, Марио?

— Главным образом моя мама, — ответил тот голосом Роки Бальбо. — Она живет в Маленькой Италии и боится открыть дверь. Когда только полицейские возьмут этого гнусного типа? Черт!

— Я занимаюсь этим, Марио, — сказал я и выключил приемник. Тут мне позвонила по сотовому Бет Питерс.

— Майк, надеюсь, ты сидишь и не свалишься на пол. Нам только что сообщили: квартира снята на имя некоего Уильяма Мейера. Оказывается, он наемник из компании «Кобальт партнерс», обеспечивающей безопасность американцев в Ираке. Она сейчас в полном дерьме из-за инцидента со стрельбой.

Я больше создаю новости, чем слушаю их, но кое-что смутно припомнил. Обстреляли транспорт служащих госдепартамента, люди из «Кобальта» открыли ответный огонь в большую толпу. Были убиты одиннадцать человек, в том числе четверо детей. Ожидалось предъявление обвинения.

— Этот Уильям Мейер — главный подозреваемый, но его освободили под залог. До «Кобальта» он служил в морской пехоте, подразделение специальных операций. Это определенно согласуется с его умением стрелять.

— Есть какие-то догадки, почему Гладстон оказался в квартире Мейера? — спросил я.

— Совершенно никаких, Майк, но теперь по крайней мере у нас есть фамилия. Мы составим его психологический портрет и возьмем его. Это только вопрос времени.

Глава восемьдесят третья

«Уильям Мейер, — думал я, поднимаясь в лифте к своей квартире. — По тому, как убирает людей, его можно принять за Майкла Майерса, психопата из фильма "Канун Дня всех святых"».

Оставалось еще много безответных вопросов. Были Томас Гладстон и Уильям Мейер друзьями по военной службе? Я бы спросил кого-нибудь из приятелей или родных Мейера, но все они мертвы. Если наша последняя версия верна, их застрелил Мейер. Разозлил Гладстон Мейера, или в чем тут дело? И как объяснить, что Мейера опознали как Гладстона? Они были очень похожи внешне?

В фойе перед моей квартирой витал яблочный аромат. На старом столе для почты, которым мы пользовались с соседями, стояла серебряная чаша с яблоками, тыквами-горлянками и маленькими симпатичными пепо. Над соседской дверью висел венок из золотисто-алых сухих листьев.

Пока я преследовал психопата и смотрел на обгоревшие тела, Камилла Андерхилл, клон Марты Стюарт, убрала наш альков осенним великолепием. Нужно будет поблагодарить ее, когда завершится это дело.

Я взглянул в зеркало над столом и замер — бледен как смерть, под глазами мешки, на подбородке пятна сажи из выгоревшей квартиры. И хуже всего, на лице было хмурое выражение, становящееся постоянным.

Я решил, что пора всерьез подумать о перемене работы. Чем скорей, тем лучше.

В квартире я посмотрел в сторону комнаты Джейн, но увидел мерцающий голубой свет телевизора, идущий из гостиной. Детям давно пора спать, но, возможно, Мэри Кэтрин усадила всех перед ящиком, чтобы иметь возможность ухаживать за Джейн. Я не слышал ни кашля, ни звуков рвоты. Эпидемия кончилась?

Когда я вошел в темную гостиную, моя догадка показалась верной. На телеэкране Гарри и Рон бегали по коридору Хогвартса, а дети сидели на диване и креслах.

Все дети, в том числе и смертельно больная Джейн. И, что еще более странно, с детьми были Мэри Кэтрин и Симус, и они неотрывно глядели на меня.

— Черт возьми, почему никто не спит? — спросил я. — Дж. К. Ролинг издала еще одну книгу? Давайте, ребята, пора на боковую.

— Нет, пора достать пистолет из кобуры и ногой отправить его ко мне, — раздался голос за моей спиной. В гостиной вспыхнул свет.

И я увидел электрический шнур, которым Симус и Мэри Кэтрин были привязаны к стульям из столовой, на которых сидели.

«Что?! Нет, только не здесь! О Господи. Сукин сын!»

— Еще раз говорю. Вынь пистолет из кобуры и отбрось ногой сюда, — послышался тот же голос. — Советую быть осторожным. Ты прекрасно знаешь, как я стреляю.

Я повернулся и наконец оказался лицом к лицу со своим кошмаром.

«Свидетели хорошо его описали», — подумал я. Рослый, атлетического сложения, с красивым, мальчишеским лицом. Волосы светлые, но явно окрашенные. И вылитый Томас Гладстон. Я понимал, почему стюардесса опознала его. Этот человек выглядел старшей, улучшенной версией покойного летчика.

Был он Гладстоном? Или Мейером? Могли рентгеновские снимки зубов того тела в квартире оказаться ошибочными?

Еще я видел, как плотно прижат его палец к спусковому крючку автоматического пистолета, наведенного мне в сердце.

Я вынул «глок» из поясной кобуры, положил на пол и толкнул ногой к нему. Он поднял его и сунул за пояс, открыв рукоятку еще одного автоматического пистолета. Вооружен до зубов. Черт возьми, этот человек по-настоящему страшен.

— Пора немного поговорить по-мужски, Майк, вон там, — указал он подбородком в сторону кухни. — Нам с тобой многое нужно наверстать.

Глава восемьдесят четвертая

— А теперь, дети, не делайте глупостей. Сидите спокойно, — любезно посоветовал убийца моей семье. — Я буду слушать, и если мне что-то не понравится, придется пустить пулю в голову вашего папочки. И все его труды пойдут насмарку.

Я видел, как сжались дети, маленькая Шона, сидевшая на коленях у Джулианы, плакала, а Джулиана старалась ее утешить. Черт возьми, каково им это слышать после того, как они лишились матери меньше года назад. Я с удовольствием убил бы этого сукина сына — уже только за то, что он находился в моем доме.

Под дулом пистолета я пошел на кухню и сел за стол, выбрав ближайший к набору ножей у плиты стул. Решил, что если удастся отвлечь этого типа, схвачу один из ножей и брошусь на него. Пистолета я не боялся, но мне требовалась уверенность. В случае неудачи мы все погибнем.

Но убийца стоял по другую сторону стола и был начеку.

— Я слышал, ты искал меня, — сказал он с самодовольным сарказмом. — Ну, вот я здесь. Чем могу быть полезен?

Я мысленно произнес благодарственную молитву за то, что несколько лет вел переговоры об освобождении заложников. Я мог оставаться спокойным, несмотря на бушующий в венах адреналин. «Положись на опыт, — сказал я себе. — Может, удастся выпросить безопасность для семьи».

Может? Я должен.

— Это касается только нас двоих, — спокойно произнес я. — Пока это так, я сделаю все, что захочешь. Только уведи меня отсюда или выпусти детей. Я велю им никому ничего не говорить, и они не скажут. Как ты верно заметил, им не хочется видеть меня убитым.

— Собственно говоря, — заявил он, — это касается меня и тех, кого я назову. Твоя семейка останется здесь.

— Ладно, — согласился я. — Тогда давай уйдем мы. Я выполню все твои требования.

— Подумаю над этим, — кивнул он.

— Скажешь, что тебе от меня нужно? — спросил я. — Хочешь скрыться? Могу устроить.

Он покачал головой, по-прежнему сардонически ухмыляясь, потом заглянул в холодильник и достал две баночки «Будвайзера». Открыл одну и протянул мне, потом открыл вторую.

— «Будвайзер»? В баночках? Фи, Майк. — Он оглядел кухню. — Где ты держишь картошку, завершающую твой ирландский обед из семи блюд?

Он отпил глоток и указал на мою баночку.

— Пей, Майки. Расслабься. Долгие поиски определенно вызвали жажду.

— Как скажешь, — ответил я и сделал долгий глоток. Пиво было замечательным.

— Вот, видишь? Составил мне компанию. Я знал, что мы станем друзьями и я смогу открыть тебе душу.

Я отпил еще глоток. Нервы были так натянуты, что я прикончил бы упаковку из двенадцати банок. Я поставил баночку на стол и взглянул на него с такой озабоченностью и пониманием, какими гордилась бы Опра Уинфри.

— Открывай, — сказал я. — Буду рад тебя выслушать, Уильям. Тебя так зовут? Ты Уильям Мейер, верно?

— Пожалуй, — ответил он. — Фамилия моя была Гладстон. Но родители развелись, и семья разделилась. Я уехал с матерью, отчим меня усыновил и дал фамилию Мейер.

«Вот почему мы не нашли родственников Гладстона», — подумал я, покачивая головой.

— В определенном смысле дело именно в этом, — продолжил убийца. — В том, что я отказался от нашей с братом фамилии.

Как ни хотел я увидеть эту помешанную, убивающую полицейских мразь на столе для вскрытия трупов, переговорщик о заложниках одержал верх. Мейер хотел рассказать свою историю, и чем дольше я заставлю его говорить, тем больше времени выиграю, и тем вероятнее, что он расслабится.

— Можно называть тебя Билли? — Таким тоном гордился бы любой психиатр. — У меня было множество дел, однако ничего подобного я не слышал. Расскажешь мне об этом?

«Да. Расскажи, какой ты умный, злобная тварь».

Глава восемьдесят пятая

Я знал, что уговаривать Билли Мейера не потребуется.

— Как я сказал, когда мне было десять лет, мои родители развелись, и мать вышла за богатого финансиста. Я уехал с ней, а мой братишка Томми остался с отцом. Отец был хорошим человеком, но пьяницей. Он работал мойщиком вагонов в управлении городского транспорта, и это было пределом его устремлений. Лишь бы хватало денег на выпивку.

Мейер приложился к пиву. «Пей, пей», — подумал я. Может, склоню его открыть бутылку «Джеймсона». Он опьянеет и вырубится. Или, еще лучше, я тресну его по голове бутылкой. Как бы мне этого хотелось!

— Моя жизнь изменилась полностью, — продолжал он. — Я пошел в престижную школу, а потом в еще более элитарный Принстон. Но после выпуска, вместо того чтобы идти на Уолл-стрит, как хотел отчим, я взбунтовался и поступил в морскую пехоту. Начал солдатом, кончил подразделением спецопераций. Стал летчиком, как мой брат.

«И наверняка был первым среди курсантов», — подумал я, вспомнив, как превосходно он стреляет.

Уйдя со службы, я поступил в многонациональную охранную фирму «Кобальт». Там было замечательно. Дела в Ираке только начинались. Все как в спецоперациях, только получше. Боевые действия в моем вкусе. Словом, складывалось отлично, пока не кончилось. «Кобальт» — та самая фирма, недавно оказавшаяся замешанной в скандале. Следишь за текущими событиями, Майк?

— Как могу, — ответил я.

— Так вот, ФБР хочет обвинить меня в убийстве. Разумеется, я убил тех людей. Если стреляешь в нашу сторону, даже из толпы, то получаешь ответный огонь. Черт возьми, федералов не устраивает, что мы остались живыми? Нет уж. Я вернулся, чтобы воспротивиться этой ерунде. Указать на тот незначительный факт, что мы находились в военной зоне. «Кобальт» нанял группу по связям с общественностью, чтобы обелить нас. Мы должны были выступать в утренних программах. Все было подготовлено.

Он умолк и снова приложился к своей баночке.

— Сорвалось? — спросил я.

— Это было до того как я вошел в свою квартиру в этом городе, чтобы положить вещи, и обнаружил там брата.

Психопат неожиданно потупился. Лицо его приобрело печальное, страдальческое выражение. Я бы не поверил, что он способен на такие чувства.

— Майк, мой брат застрелился, вышиб себе мозги. Забрызгал ими журнальный столик и ковер. На столе лежала записка о самоубийстве на трех страницах. Оказывается, пока меня не было, дела брата пошли хуже некуда. У него были шашни со стюардессой, его жена, Эрика, узнала и подала на развод. Большие деньги, шикарный дом — все это принадлежало ей, и он остался на бобах. Затем последовал окончательный удар. Его засекли чуть выпившим перед рейсом Лондон — Нью-Йорк, и все, он потерял работу.

Тут уже я приложился к пиву, стараясь скрыть замешательство.

— И в конце записки, оставленной братом, был список. Перечень людей, причинивших ему зло, «вынудивших к этому», как он выразился.

Билли Мейер тяжело вздохнул и рукой, в которой не было пистолета, сделал жест, говорящий «вот в чем дело», глядя на меня так, словно объяснил все.

Я неторопливо кивнул, делая вид, будто понял.

— Стоя над телом несчастного брата, я прозрел. Я покинул его, когда мы были маленькими. Не звонил ему, не писал, вечно отмахивался. Я был эгоистичным подонком. Чем больше об этом думал, тем лучше сознавал, что повинен в его смерти, будто сам нажал на курок. Моей первой реакцией было желание поднять пистолет и тоже покончить с собой. Вот в каком я был состоянии.

Жаль, что не последовал этому побуждению, хотелось сказать мне. Нет проку в долгих раздумьях.

— Вот тогда я и принял это решение. К черту защиту от обвинения. К черту карьеру, к черту жизнь. Я решил, что воздаяние за зло, причиненное моему брату, будет моим прощальным подарком Томми. Может, он не посмел отомстить людям, загубившим его жизнь, но у меня хватало смелости. Я решил проводить братьев Гладстон салютом.

«Значит, мы были правы, — подумал я. — Жертвами стали люди, причинившие зло Томасу Гладстону. Только Гладстон не убивал своих врагов. Это делал его брат». Я понял, в чем мы ошиблись. Тут была не оргия убийств, окончившаяся самоубийством, а самоубийство, приведшее к оргии убийств.

— Значит, все, что ты писал об обществе, было ерундой?

— Пожалуй, я в это верю. Но мне требовалась дымовая завеса, скрывающая мои следы. В списке много людей. Мне нужно было время. Внушай, что мишени случайные. Вводи противника в заблуждение: тактический ход номер сто один. Все шло по плану, пока не появился ты и не встал между мной и двумя последними людьми из списка брата.

Движением пистолета он велел мне подняться.

— Майки, вот зачем я здесь. Ты помешал мне убрать родителей Эрики. Ты это исправишь. К счастью, я составил альтернативный план, и ты мне поможешь. Допивай свое королевское пиво, приятель. Последний визит. Мы совершим небольшую поездку.

Глава восемьдесят шестая

«Слава Богу, — подумал я. — Если уйдем отсюда, семья будет в безопасности». Это все, чего я хотел.

Мейер под дулом пистолета вывел меня из кухни в гостиную. Но свободной рукой подхватил с дивана Крисси, все еще одетую в пижаму Барби.

— Нет! — крикнул я. И, опасаясь, что он начнет стрелять, сдержал желание броситься на него.

Но Эдди закричал «Пустите ее!» и, спрыгнув с дивана, кинулся к Мейеру. Отлетел назад он еще быстрее, чем Мейер ударил его коленом в грудь.

— Беннетт, уйми своих щенков, или этим займусь я! — прорычал Мейер.

— Ребята, сидите на месте! — приказал я и повернулся к убийце. — Билли, успокойся. Я уже сказал, что помогу тебе. Не нужно брать ее с собой. К тому же, она больна.

— Ее состояние очень ухудшится, если не будете выполнять то, что я говорю. Это относится ко всем. Увижу полицейский автомобиль, и эта семья не досчитается завтра двух членов. — Держа под мышкой мою брыкающуюся девочку, Мейер указал мне пистолетом в сторону кухни. — Пошли, Майки. Спустимся грузовым лифтом.

Проходя мимо ножей, я заколебался на долю секунды, но двинулся дальше.

— Разумное решение, приятель. — Мейер прижал дуло пистолета к моему уху. — Я знал, что мы с тобой друг другу понравимся.

Мы спустились грузовым лифтом и вышли из боковой двери на Девяносто пятую улицу. Вокруг не было ни души. Мейер усадил меня за руль, а сам сел вместе с Крисси на заднее сиденье.

— Майки, у нее нет ремня безопасности, и я на твоем месте осторожно вел бы машину. Поезжай на Бродвей, сверни на север и сделай мне одолжение — выключи полицейский диапазон частоты.

Мы поехали в сторону Вашингтон-Хайтс.

— Сверни здесь налево, — велел он, когда мы подъехали к Сто шестьдесят восьмой улице.

Над крышами зданий я видел решетчатую башню моста Джорджа Вашингтона.

— Найди въезд, — сказал мне на ухо Мейер. — Мы едем на ту сторону.

С какой стати ехать в Нью-Джерси? Наверняка не затем, чтобы заправиться дешевым бензином. Это его план побега? Догадаться, что происходит в сознании этого безумца, было невозможно.

В зеркале заднего обзора я встретился взглядами с Крисси. Девочка выглядела испуганной, но держалась лучше, чем я мог вообразить. «Папа, я люблю тебя», — произнесла она одними губами. «Я тебя тоже, — ответил я. — Не бойся».

Я не знал многого, но был уверен в одном. Этот психопат не причинит вреда моей дочери. Ни в коем случае.

Глава восемьдесят седьмая

Когда мы с Мэйв принесли домой нашу старшую дочь, Джулиану, мне часто снился один и тот же кошмар. Я кормил девочку на ее высоком стуле, и вдруг она начинала давиться. Я тщетно пытался ей помочь и просыпался в холодном поту, тяжело дыша, шел к ней в комнату, подносил к носику зеркало, видел, что оно запотевает от дыхания, и только тогда позволял себе снова заснуть.

Вне всякого сомнения, для родителей страшнее всего беспомощность при виде грозящей ребенку опасности.

Я взглянул в зеркало заднего обзора на Мейера, сидевшего рядом с моей дочерью. На большой автоматический пистолет, который он держал на коленях.

И с трудом сглотнул, горло, казалось, облеплено пылью. Все мое тело покрылось холодным потом. Руль едва не выскальзывал из рук.

«Ты живешь так долго, — подумал я, когда страдание пронзило меня, словно током, — что могут сбыться самые страшные кошмары».

Я снова взглянул в зеркало и на сей раз увидел в глазах дочери глубокую печаль. Они были такими, когда я впервые прочел ей «Бархатного кролика». Крисси начинала понимать, как опасна эта поездка.

Меньше всего нам хотелось, чтобы она стала плакать и раздражать сидевшую рядом с ней бомбу замедленного действия в человеческом облике. В академии ФБР в Квонтико я усвоил, что похищенные должны быть как можно тише и послушнее.

— Крисси? — Я постарался не выдать страха. — Скажи нам что-нибудь смешное, милочка. Я сегодня не слышал ни одной шутки.

Печаль в ее глазах исчезла, и она театрально откашлялась. Самая маленькая в семье, она умела себя показать.

— Как назвать обезьяну, у которой отняли банан? — спросила она.

— Не знаю, милочка. Как? — спросил я, притворяясь искренним.

— Яростный Джордж! — выкрикнула она и захихикала.

Я засмеялся вместе с ней, наблюдая за реакцией Мейера.

Но у него были пустые глаза человека, покупающего газету, едущего в лифте или ждущего поезда.

Я снова обратил взгляд на дорогу и в последний миг увидел перед собой огромный трейлер. Сердце замерло, когда громадные стоп-сигналы и стальная стена, казалось, устремились к нам, заполнив ветровое стекло. Я ударил по тормозам, резина завизжала и задымилась.

Машина чудом остановилась в нескольких дюймах от моей неминучей смерти. «Добавьте истеричных полицейских к списку людей, о которых заботится Бог», — подумал я, утирая со лба пот.

— Беннетт, возьми себя в руки, — сурово предупредил Мейер. — Если попадем в беду, мне придется прокладывать выход из нее пулями. Начав отсюда.

Конечно, моя вина, хотелось ответить мне. Трудновато сосредоточиться, когда нервы натянуты до предела.

— Поворачивай на запад, — приказал он. — Пора съезжать с этой дороги, раз ты так ведешь.

Мы свернули на шоссе, заброшенную грузовую трассу. Я смотрел на старые мотели и склады с участками безлюдной заболоченной земли штата Нью-Джерси между ними и пытался определить, могут ли более низкая скорость и отсутствие машин сработать мне на руку. Если я резко заторможу так, чтобы занесло машину, потеряет ли Мейер равновесие настолько, чтобы я успел схватить Крисси и побежать? Из пистолета трудно попасть в цель, особенно движущуюся.

Но этот человек, без сомнений, стрелял очень метко. Так уж мне повезло.

Драться или бежать — оба варианта негодные, но других у меня нет. «Господи, — взмолился я, — помоги мне спасти дочь. Что мне делать?»

— Папа, слушай, — сказала Крисси, и секунду спустя машину пронизал неистовый рев. Ошеломленный, я подумал, что на сей раз все-таки врезался во что-то. На какой-то безумный миг мне даже пришла мысль о взорвавшейся на обочине бомбе.

Секунды через две я понял, что источником шума был самолет, пролетевший низко над дорогой. Когда он показался впереди, я увидел, что это легкий реактивный самолет, приземляющийся на взлетно-посадочную полосу за ограждением из проволочной сетки.

С какой стати здесь оказался аэропорт? Ньюарк находился в нескольких милях к югу. Потом я понял, что это Тетерборо, маленький аэропорт для корпоративных и частных самолетов, использующихся для полетов в Нью-Йорк. Полеты стоят целое состояние, но длятся всего двадцать минут без досмотра и ожидания в очереди.

— Сбавь скорость и сверни сюда, — сказал Мейер, когда мы приблизились к светофору.

Я осторожно повернул и снова утер разъедавший глаза холодный пот. Что бы ни было на уме у сукина сына, аэропорт почему-то ухудшал это в тысячу раз.

Глава восемьдесят восьмая

Въездную дорогу в аэропорт, именуемую «Индастриал авеню», окаймляли управляющие фирмы — маленькие двухэтажные здания с ангарами позади и огражденными, охраняемыми автостоянками перед ними. В будках охраны, заметил я, находились полицейские управления порта.

Настало время сделать ход? Поймут они, что происходит, прежде чем Крисси, я и, может быть, они сами погибнем?

Я снова сдержался, подумав, что хорошо было бы знать намерения Мейера.

— Останови здесь, — велел он, когда дорога окончилась тупиком. — Слушай внимательно, Беннетт, потому что у тебя будет всего один шанс. Развернись и на обратном пути въезжай в первый ангар. У них всего один охранник, вот почему я приехал с тобой. Используй свое влияние. Покажи значок и войди вместе со мной внутрь.

— Что мне ему сказать? — спросил я, разворачивая «шевроле».

— Думай, фараон, думай, как следует. От этого зависит жизнь твоей дочери.

Когда мы подъехали, полицейский управления порта, молодой азиат, высунулся из окна будки.

— Нью-Йоркское полицейское управление, — показал я значок. — Мы преследуем подозреваемого в убийстве и полагаем, что он мог перелезть через забор со стороны Сорок шестого шоссе и находится на этой территории.

— Что?! — произнес молодой полицейский, пристально глядя на меня. — Я ничего об этом не слышал. После одиннадцатого сентября Департамент национальной безопасности обязал нас установить на проволоке датчики. Они засекли бы этого человека.

Он перевел взгляд к Мейеру и Крисси на заднем сиденье.

Я напрягся, мысленно молясь, чтобы он отверг мое странное требование, оставил свои объяснения и потянулся к пистолету. Мой «шевроле» выглядел обычным полицейским автомобилем. Пассажир на заднем сиденье казался весьма подозрительным, тем более с моей четырехлетней дочерью.

Мейер отвлекся бы, и я мог броситься на заднее сиденье поверх Крисси. По крайней мере закрыть ее своим телом и, возможно, вытащить оттуда. Бежать со всех ног куда угодно. План был не ахти, но, похоже, единственный.

Полицейский вместо этого пришел в еще большее недоумение.

— Что это за девочка? — спросил он.

— Это ее отца убили, — произнес Мейер у меня за плечом. — Кончай допрашивать нас, болван. Речь идет об убийстве. Мы теряем время.

— Не могу поверить, чтобы меня об этом не известили, — отстраненно произнес полицейский. — Ладно, въезжайте. Машину поставьте у ангара, а я свяжусь со своим сержантом.

— Отлично сработал, Майки, — прошептал Мейер, когда решетчатые ворота поднялись. — Ценю. Дам тебе и твоей соплячке дополнительные пять минут жизни.

Когда мы въехали в ангар на двадцать ярдов, Мейер оглушительно чихнул и раненой рукой утер нос.

— Твои паршивые дети меня заразили, — проворчал он.

И словно по сигналу в желудке забурлило, я согнулся, и меня вырвало на пол с пассажирской стороны. Значит, сухость в горле и холодный пот были следствием не только ужаса, понял я, вытирая рукавом подбородок. Грипп в конце концов добрался и до меня.

— Не только тебя, — сказал я.

— Ну что ж, все равно останавливаться нельзя. Надо действовать. Выходим отсюда. Будешь слушаться, возможно, уцелеете.

Я встретился взглядом с Мейером в зеркале заднего обзора и покачал головой.

— Не пойдет. Я готов отправиться с тобой. Но она останется здесь.

— Папа, не оставляй меня! — взмолилась Крисси.

— Какой ты жестокий отец, Беннетт, — сказал Мейер. — Видишь, она хочет уйти. — Голос его снова стал угрожающе-язвительным. Должно быть, зайдя так далеко, он чувствовал себя уверенно. — Или предпочтешь, чтобы я прикончил вас обоих здесь и сейчас?

— Считаешь, этот полицейский единственный в аэропорту? Стоит тебе выстрелить, и он немедленно вызовет подкрепление. Ты прекрасно знаешь, что здесь дежурит группа спецназа. У этих людей «М-16», снайперские винтовки, шумовые гранаты, они превосходно обучены. Ты хорошо стреляешь, Билли, но от них тебе не уйти.

Мейер несколько секунд молчал.

— Должен признать, Беннетт, ты совершенно прав, — наконец сказал он. — Ты сделал мне одолжение, я отвечу тебе тем же. Мы оставим девочку здесь.

Глава восемьдесят девятая

Когда мы вылезли из машины, пот показался еще холоднее, может, из-за свежего воздуха или поднявшейся температуры. Кроме того, меня снова подташнивало.

Рев очередного взлетающего самолета заглушил на несколько секунд остальные звуки. Как только все стихло, сердце мне пронзил плач Крисси на заднем сиденье.

Полицейский вышел из своей будки и направился к нам. Руку он держал на рукоятке пистолета, лицо было настороженным.

— Сержант идет сюда, — сказал он. — Я говорил с ним по телефону.

Я не успел открыть рот, как Мейер выстрелил. Совершенно неожиданно. Пуля вошла полицейскому в щеку, из затылка брызнула кровь, и он повалился как подкошенный.

— Так, — произнес Мейер и присел на корточки, чтобы снять наручники с ремня убитого. — И что же сказал сержант?

— Сукин ты сын! — выкрикнул я и бросился на Мейера с кулаками. Это было невероятной глупостью, но я не думал, лишь реагировал. Ударил его изо всей силы правым хуком в ухо, он упал и перекатился через тело полицейского на асфальт.

Но, черт возьми, тут же встал, сжимая в руке пистолет. Я вздрогнул, когда он приставил еще теплый ствол к ямке под моим подбородком, но он казался веселым, а не разгневанным. Как ни странно, он улыбался.

— Неплохо, фараон, но это первый и последний раз, — произнес Мейер. — Будешь теперь хорошо себя вести? Или мне вернуться, посмотреть, как там твоя маленькая дочка?

— Сожалею, — пробормотал я.

— Нет, не сожалеешь. — Он злобно пнул меня в зад и повернул к главному зданию частного аэропорта. — Но будешь.

Приемная походила на вестибюль четырехзвездочного отеля. Стены, обшитые блестящими панелями, кожаные кресла, мраморные журнальные столики, на которых лежали «Форчун», «Бизнес уик», «Вэнити фэр». За окнами виднелась преднгарная площадка.

Хорошенькая, явно беременная секретарша говорила по телефону, но, увидев нас, застыла с разинутым ртом. Трубка со стуком выпала из ее руки на письменный стол.

— Простите за внезапное вторжение, — весело сказал Мейер, наведя пистолет на ее выпуклый живот. — Мы только хотим выйти на полосу. Не мешайте нам, и мы вас не тронем.

За дверью слева находилась пустая комната отдыха для служащих. Такие же кожаные кресла и телевизор с широким экраном, развлекательная передача была включена на полную громкость.

Я подпрыгнул от неожиданности, когда Мейер вдруг вскинул пистолет и пустил пулю в экран.

— Опять этот Элвис! — выкрикнул он, толкая меня в другой коридор. — Пятьдесят семь каналов высокой четкости, и ничего стоящего.

Он пинком распахнул дверь с надписью «Комната отдыха летчиков». Мы прошли мимо спортивных снарядов, душевых, маленькой кухни.

Холод окутал нас снова, когда мы шагнули через другую дверь в ярко освещенный ангар. Ветер продувал его насквозь. Там были тележки с инструментами, передвижной кран, подмости, но людей, слава Богу, не оказалось. Он искал самолет? Самолета тоже не было. Еще раз слава Богу.

— Пошевеливайся, Беннетт. — Мейер вытолкнул меня из больших двойных ворот к цепочке ярких посадочных огней.

— Мы идем туда? — спросил я. — Но это опасно.

Мейер усмехнулся.

— Давай-давай, фараон, выкажи чуточку мужества.

Широко шагая к взлетно-посадочной полосе, мы увидели самолет, медленно приближавшийся по рулежной дорожке от одного из частных ангаров — оранжево-белую «сессну».

— Быстро давай свой значок, — приказал Мейер. — И стой здесь. Сделаешь хоть шаг — попрощаешься с дочерью.

Он вырвал у меня значок и побежал к полосе, сунув пистолет за пояс. Встав перед самолетом, поднял значок и неистово замахал рукой, словно разъяренный автоинспектор. Я видел за передним стеклом летчика, молодого человека с растрепанными светлыми волосами. Он выглядел озадаченным, но остановил самолет, и Мейер стал обходить крыло.

Через несколько секунд летчик открыл дверцу, и Мейер поднялся в самолет. Из-за шума винтов я не слышал, что они говорили, но видел, как Мейер что-то выхватил из кармана и замахнулся. Из его руки вылетела телескопическая стальная дубинка, словно лезвие громадного пружинного ножа. Должно быть, он взял ее у мертвого полицейского вместе с наручниками.

Он дважды ударил парня по голове с такой силой, что я почти ощутил ее. Потом расстегнул привязной ремень и выбросил его на полосу, по светлым волосам летчика струилась кровь.

— Беннетт, он разрешил на время взять его самолет! — крикнул мне Мейер. — Повезло, правда? Тащи сюда свою задницу.

Я стоял в ледяной струе воздуха от ревущих лопастей винта, соображая, есть ли у меня возможность добежать до машины и уехать вместе с Крисси. Но у Мейера снова был в руке пистолет. Я увидел вспышку и ощутил, как пуля пронеслась мимо левого уха. Не успел я моргнуть, и другая пуля срикошетила у моих ног.

— Ну-ну, Майки. Мне нужна компания. Идешь?

Я глубоко вдохнул и пошел к самолету.

Глава девяностая

«Тесно, как в гробу. И не так удобно», — подумал я, стараясь втиснуть свои длинные ноги под острую консоль на переднем пассажирском сиденье «сессны». Мешали наручники, которые Мейер надел на меня, перед тем как туго пристегнуть к креслу поясным и плечевыми ремнями безопасности.

Я разглядывал ошеломляющее множество сложного вида приборов и кнопок на громадной приборной панели. Но пальцы Мейера уверенно двигались по ним. Когда он двинул вперед один из шести поднимающихся с пола рычагов, шум пропеллеров усилился. Затем он передвинул соседний рычаг, и мы медленно двинулись.

Сворачивая на взлетную полосу, мы увидели пожарную машину — огромную, ярко-желтую, с включенными огнями и сиреной, — несущуюся посередине полосы, чтобы преградить нам путь. Она принадлежала службе управления порта по оказанию помощи при авиакатастрофах. Какое у нее прозвище?

Внезапно из бокового окна машины зачастил предупредительный огонь автоматических винто-

вок, и тармак перед нами покрылся пробоинами
от пуль.

Черт возьми! «Пушки и шланги», вот какое.
Эти люди были потрясающим гибридом пожарных и полицейских и имели дело с авиакатастро-
фами и угоном самолетов.

«Цельтесь в летчика!» — мысленно послал я им
сообщение, пригнувшись на сиденье, как только
мог.

Однако в ту минуту я готов был получить рану,
если бы это наконец остановило Мейера.

Но он быстро повернул на рулежную дорожку,
и мы понеслись в опасной близости от ангаров.

У меня перехватило дыхание при виде грузовика службы борьбы с обледенением у нас на пути.
Миновать его было невозможно. На этой скорости попытка повернуть самолет привела бы к не-
истовому, неуправляемому вращению.

Я мысленно произнес предсмертную молитву.

В последнюю секунду Мейер потянул штурвал
на себя. Мы поднялись в воздух, едва не задев колесами кабину грузовика.

Глава девяносто первая

Оцепенев от страха, я каждой клеточкой ощущал неистовое биение сердца, когда Мейер поднимал самолет. Во время службы в ГРК я побывал

на местах авиакатастроф и хорошо знаю, что происходит с человеческим телом при столкновении самолета с препятствием на скорости несколько сотен миль в час.

Казалось, «сессна» поднимается вертикально. Я смотрел на мерцающие внизу огни и чувствовал себя парализованным болезнью и страхом.

Мысли путались. Что задумал Мейер? Куда направляется. За границу?

Большой разницы для меня не было.

Беспокоился я главным образом о Крисси. Очень надеялся, что она не видела, как Мейер застрелил полицейского и кто-нибудь уже ее обнаружил и позвонил домой.

— Знаешь, как тяжело терять брата — не один раз, а дважды? — крикнул Мейер, перекрывая рев двигателей.

Я встряхнулся и вышел из оцепенения, неожиданно почувствовав себя свободным. Если все равно погибну, терять уже нечего. И ни к чему слушать его болтовню.

— Сочувствую тебе, ублюдок, — резко ответил я. — Только другие в горе не испытывают желания убивать неповинных, беззащитных людей и похищать маленьких девочек.

— Оставь эту чушь. Когда я учился летать, мне сказали: «Малыш, видишь на песке пустыни людей, с высоты похожих на муравьев? Так вот, нам нужно, чтобы ты расстреливал их из крупнокалиберных пулеметов, делающих тысячу выстрелов в минуту. Не беспокойся, что там, где стояли люди, останутся кучи окровавленного тряпья. Не думай об этом, и все».

Но я должен был не думать и о настоящих мерзавцах здесь, в Штатах. Тех, кто делает людей несчастными, с легкостью доводит кого-то до самоубийства — эгоистичных тварях, превращающих мир в хаос. Оставлять их в покое? Нет уж. — Мейер покачал головой. — Иметь и то, и другое им не удастся. Они научили меня убивать за нашу страну, и я делаю именно это. Только на сей раз по своим правилам.

И я еще думал, что меня тошнит из-за болезни. А этот человек использовал военную травму для оправдания своего зла.

— Да, это трагедия, — сказал я.

— Убивать за свою страну?

— Нет, — прокричал я ему в ухо. — То, что ты не погиб за нее.

Глава девяносто вторая

Я отвернулся от Мейера и уставился в иллюминатор, пытаясь понять, где мы находимся. Определить было трудно, но я знал, что взлетали мы в восточном направлении.

Полет нисколько не помогал моему желудку. Летное мастерство Мейера явно оставляло желать лучшего. Каждые несколько секунд мы виляли то вправо, то влево, падали на несколько сотен футов, потом поднимались снова.

Но наконец он сумел выровнять самолет.

— Ну вот, Беннетт, я готов к последнему акту! — прокричал он мне. — Пора заканчивать то, что начал. Нанести Бланшеттам небольшой визит. Врезаться в их спальню на скорости триста миль в час, и ты полетишь вместе со мной. Я же говорил — не вставай на моем пути, треклятый болван.

В глубине души я догадывался, что он намерен принести в жертву нас обоих, но отказывался в это поверить. Однако теперь это было неизбежно.

И тут я подумал: «Ну нет, не выйдет».

Хотя запястья мои сковывали наручники, пальцы были свободны и я начал тайком расстегивать поясной ремень.

Через несколько минут, летя с предельной скоростью на опасно малой высоте, мы увидели вдали освещенные башни Манхэттена. Я узнал громадный, темный прямоугольник Центрального парка с окаймленными деревьями дорожками и поблескивающим бассейном.

И содрогнулся, заметив нашу цель — дом на Пятой авеню, где жили Бланшетты. Казалось, он несется навстречу нам с головокружительной скоростью. Мы так приблизились к нему, что я увидел зажженные свечи в стаканчиках, плавающие в бассейне на крыше.

Я в последний раз рванул поясной ремень, и тот расстегнулся. Затем подался до отказа влево и ударил Мейера головой.

В глазах засверкали звезды, и я подумал, что пострадал не меньше его. Из сплющенного носа Мейера хлынула кровь. Он издал негромкое рычание и потянулся к лежавшему на коленях пистолету. Я высвободил ноги из-под консоли и ударил его в подбородок.

Голова Мейера дернулась назад, и пистолет улетел куда-то за наши спины. Самолет, накренившись, описал крутую дугу и начал пикировать. Мне было плевать. Я бил ногами снова и снова — по голове, по лицу, груди, шее, — стараясь вытолкнуть его в дверцу из кабины, и вопил, как безумный.

Я мог бы преуспеть, но он каким-то образом растянул стальную дубинку на всю длину и хлестнул меня прямо между ног. Я завопил снова, на сей раз от боли, и сполз с сиденья, закатив глаза.

Мейер оставил меня в покое, вывел самолет из пике и направил через коридоры зданий к Центральному парку. Потом ударил меня по лбу и затолкал обратно на сиденье. Мне показалось, что треснул череп.

Его последний расчетливый удар дубинкой так отбросил мою голову к дверце, что разбилось стекло. Я увидел кружащиеся огни, потом хлынувшая кровь скрыла от меня темной завесой кабину, мое тело обмякло, глаза закрылись.

Я словно умер, но где-то в глубине крохотная искорка сознания никак не хотела гаснуть.

Глава девяносто третья

Мэр Карлсон перед сном пробегал третью милю на эллиптическом тренажере, когда Патрик Кифтер, один из его помощников, заглянул в дверь полуподвального спортзала в особняке «Грейси».

— Звонит комиссар, — сообщил он. — Я перевел звонок на ваш сотовый.

Мэр нажал кнопку «перерыв», убавил звук подвешенного телевизора и поднял телефон.

— Комиссар?

— Прошу прощения за беспокойство, Морт, — сказал комиссар Дэли. — Похищен один из расследующих убийства детективов, Майкл Беннетт. Члены семьи говорят, что в их квартиру вошел какой-то мужчина и увел его вместе с четырехлетней дочерью.

«Беннетт? — подумал мэр. — Не тот ли это полицейский, что был у Бланшеттов и хотел запретить вечеринку?»

— Похититель не серийный убийца, которого разыскивают?

— Мы исходим из предположения, что он.

Карлсон утер потное лицо майкой.

— Черт возьми. Есть догадки, куда они могли направиться? Было требование выкупа? Какой-нибудь контакт?

— Пока нет, — ответил Дэли. — Произошло это меньше часа назад. Машина Беннетта исчезла, поэтому мы оповестили полицию штата и наших людей.

— Комиссар, я знаю, вы делаете все возможное, — сказал мэр. — Если я как-то могу помочь, сразу же сообщите.

— Непременно.

Положив телефон, мэр уставился на кнопку «перерыв». Хватит на сегодня? Нет, решил он и потянулся к кнопке. Никаких предлогов. Уровень холестерина очень высокий. И костюм становится тесен от всех этих благотворительных пирушек. И какая польза городу, если у него случится сердечный приступ?

Едва он включил «бегущую дорожку», помощник снова заглянул в дверь.

На сей раз мэр нажал кнопку «стоп» и поднял сотовый телефон.

— Опять комиссар?

— На сей раз другой, — ответил Патрик. — Фрэнк Питерсон из полицейского управления порта.

Мэр недоуменно посмотрел на него. Час от часу не легче. Что понадобилось комиссару полицейского управления порта?

— Фрэнк? Привет. Чем могу быть полезен?

— Одного из наших полицейских, молодого парня Томми Ви, только что застрелили в Тетерборо, — угрюмо сообщил Питерсон.

Мэр сошел с тренажера и удивленно покачал головой. Сперва похищение, затем убийство?

— Это... — начал было он, но не смог найти нужного слова. — Что произошло?

— Перед смертью полицейский Ви позвонил и сказал, что детектив из Нью-Йоркского полицейского управления попросил доступа на полосу. Через две минуты была угнана двухмоторная «сессна». Поблизости мы обнаружили полицейскую машину с маленькой девочкой, она говорит, что ее папа детектив Майк Беннетт.

— Господин мэр, — вновь появился Патрик с сотовым телефоном в руке. — Это важно.

Черт возьми, еще звонок? У него только два уха.

— Извини, Фрэнк, подождешь минутку? — сказал он комиссару полицейского управления порта и обменялся с Патриком телефонами.

— Привет, мэр Карлсон, — послышался решительный мужской голос. — Это Тэд Биллингс, помощник директора Агентства национальной безопасности. Слышали об угоне самолета в Тетерборо?

— Слышал, — лаконично ответил Карлсон.

— Радар Федерального авиационного управления прослеживает эту «сессну» над Гудзоном, она направляется к городу. С базы ВВС «Макгайр» в Южном Нью-Джерси поднят на перехват «Ф-15».

— Что?! Истребитель?!

— По новому статуту Агентства национальной безопасности, — пояснил Биллингс, — Тетерборо обратился в Федеральное авиационное управление. Те в НОРАД*, то подняло истребитель. Я только что разговаривал по телефону с генералом Хотчкиссом. Пилоту истребителя разрешено сбить «сессну».

— Но мы полагаем, что в этом самолете находится детектив из Нью-Йоркского полицейского управления. Он взят в заложники!

— ВВС известно об этом. Они пытаются установить радиоконтакт, но дефицит времени и непредсказуемость угонщика — серьезные факторы. Это нешуточная угроза всему вашему городу, сэр. Как ни печально, как ни жаль подвергать угрозе жизнь невиновного, к сожалению, нам нужно готовиться к худшему.

И он опасался сердечного приступа? Приступ — пустяк в сравнении с этим неудержимым безумием.

— Наш разговор записывается на пленку? — спросил наконец мэр.

— Честно говоря, да.

---

* Объединенное командование ПВО североамериканского континента.

— Тогда позвольте официально заявить, что все вы — свора бессердечных мерзавцев.

— Принято к сведению, ваша честь, — с готовностью согласился Биллингс. — Буду держать вас в курсе событий.

Глава девяносто четвертая

Не успел самолет отлететь на милю от своей базы, как летчик, майор Джеймс Викерс, включил форсаж. Голубое пламя рванулось из сопел двигателей «Прэтт энд Уитни Ф-100», и штат Нью-Джерси внезапно пронесся под ним назад, будто включенная на спринт «бегущая дорожка».

«Макгайр», находящаяся в восемнадцати милях к югу от Трентона, служила базой для грузовых самолетов «С-17» и топливозаправщиков «КС-10». Но после одиннадцатого сентября для защиты от возможных угроз Нью-Йорку триста тридцать шестая эскадрилья истребителей была тайно передислоцирована на шестьдесят четыре мили к северу. При максимальной скорости самолета девятьсот миль в час это расстояние проходилось мгновенно.

Что и произошло через несколько секунд, когда «Ф-15» преодолел звуковой барьер.

«Словно открываешь жестяную коробку с бисквитами, — подумал Викерс, покачав головой в летном шлеме. — Знаешь, что раздастся хлопок, но всякий раз он тебя удивляет».

— Есть, мы засекли его, — сказал капитан Дуэйн Беркхарт, специалист по системам вооружения, сидевший в кабине позади Викерса. — Запросчик-ответчик «сессны» включен. Освещает экран МПНС, будто рождественскую елку.

МПНС — это маловысотная прицельно-навигационная система ночного видения. Поскольку запросчик-ответчик маленького самолета работал, они при желании могли выпустить по нему ракету.

— Ты слышал командира, — сказал Викерс. — Сперва попытаемся установить радиоконтакт, и по крайней мере нам нужно визуальное опознание.

— Да, сэр, — ответил Беркхарт с нехарактерной для него нервозностью. — Я просто сообщил вам.

«Ничего удивительного, что Дуэйн нервничает, — подумал майор Викерс. — После окончания Академии ВВС шесть лет назад он участвовал во многих боевых вылетах. Но не над шоссе Нью-Йорк — Нью-Джерси.

— Это безумие, правда? — сказал Беркхарт, когда справа от них показались быстро приближающиеся очертания Нью-Йорка. — Я и в армию пошел из-за того, что те сволочи врезались в башни.

— Ты истинный патриот, — саркастически произнес Викерс, сбросив высоту и пролетая мимо статуи Свободы. — Я — ради бесплатного боулинга.

— Вы уже должны видеть этот самолет, — заметил Беркхарт.

— Да, вижу.

На экране электронного дисплея появилось изображение. «Сессна» летела к югу над Гудзоном в трех-четырех милях впереди и быстро приближалась. Викерс нажал большим пальцем кнопку наверху ручки управления, под крыльями появились самонаводящиеся ракеты «воздух—воздух» и загудели, словно рвались в бой.

Он получил приказ открыть огонь, как только застегнул привязные ремни. Ему не требовалось знать, кто или что находится в «сессне» — только сбить ее.

— Сессна-Браво-Лима семь-семь-два, — произнес Беркхарт в микрофон. — Говорят ВВС США. Разворачивайтесь и приземляйтесь в Тетерборо, иначе будете сбиты. Это последнее предупреждение.

Пилот «сессны» ответил:

— Не пудри мне мозги, ас. Я летал на одной из этих штук. На такой риск ты не пойдешь. Можно стереть с лица земли половину Манхэттена.

— Мы готовы пойти на такой риск, — сказал Беркхарт. — Повторяю — это последнее предупреждение.

На сей раз ответа не последовало.

«Он был действительно пилотом истребителя? — подумал Викерс. — Если да, это усложняет задачу».

Когда зазвучал сигнал системы самонаведения, он произнес:

— Что ж, нельзя сказать, что мы их не предупреждали.

Сирена умолкла, когда «сессна» резко повернула влево и скрылась за башнями из стекла и бетона. Теперь она находилась в воздушном пространстве Манхэттена, где-то в районе Восьмидесятой улицы.

— Нет! — выкрикнул Беркхарт. — Черт возьми! Мы запоздали!

— Не кипятись. — Викерс перевел ручку управления вправо, и серебристый самолет с ревом понесся над Уэст-Сайдом. Через секунду он летел над Центральным парком, а «сессна» появилась над Коламбус-Серкл и тут же скрылась снова, петляя между высотными зданиями.

Хотя сирена вновь включилась, Викерс поднимал, что теперь нельзя пускать ракету. Этот мерзавец в «сессне» прав. Стоит промахнуться, и большая часть Среднего Манхэттена перестанет существовать.

Викерс сощурился и коснулся пальцем затянутой в перчатку руки гашетки крупнокалиберного пулемета Гатлинга. Он дождется своего шанса.

Глава девяносто пятая

Я полностью пришел в себя, услышав разговор Мейера по радио с пилотом истребителя, хотя предпочел бы остаться без сознания. Я не знал, где боль сильнее, в голове или в паху.

— К черту Бланшеттов, — произнес Мейер себе под нос. На меня он не обращал внимания, полагая, что я отключился или мертв. — Зачем тратить такую превосходную возможность на этих старых ослов? Нужно поразить эту гнусную страну в самое уязвимое место — в гордость и радость Нью-Йорка. Тогда они прочтут мой «Манифест абсурда».

Я приоткрыл глаза и увидел, что мы несемся к югу над Пятой авеню.

Прямо к блестящей, увенчанной шпилем рукотворной горе Эмпайр-стейт-билдинг.

«Попробую еще раз», — подумал я, сжав зубы от боли. Мне все равно предстояло погибнуть при взрыве. Может, удастся сохранить жизни другим людям — за исключением сидящего рядом психа.

Мейер не потрудился снова пристегнуть меня к сиденью. Я бесшумно набрал в грудь побольше воздуху и из последних сил ударил его левым локтем в адамово яблоко.

Мейер откинулся назад, схватившись одной рукой за горло, а другой пытаясь вцепиться мне в лицо. Я поднырнул под его руку, прижав к двери, и схватил ручку управления.

— Мы летим к бухте! — прокричал я в микрофон его шлема. — Сбивайте нас!

Я несколько секунд находился в критическом положении, но все же сумел резко повернуть самолет на запад. Опасно кренясь, мы обогнули северо-западный угол Эмпайр-стейт-билдинг на расстоянии от силы двухсот ярдов.

Однако Мейер был силен, он пришел в себя и стал бить меня по лицу, пытаясь снова взять власть. Самолет бешено рыскал из стороны в сторону, а мы дрались, словно пантеры в клетке, рычали, бились головами — израненные, отчаянные. И опять быстро теряли высоту.

Но теперь мы летели над бухтой. Я изо всех сил держал ручку управления, чтобы оставаться на этом курсе, сжимаясь перед обстрелом истребителя, который вот-вот превратит нас в пепел.

— Отче наш, иже еси... — забормотал я сквозь сжатые зубы, а широкая пустынная бухта неслась мне навстречу.

Потом я услышал пронзительный вой.

«Господи, вот оно», — подумал я.

Секунду спустя раздалась долгая, оглушительная серия взрывов, сорвавшая свод и заднюю часть самолета, словно мокрую бумажную салфетку.

Но я был все еще жив и видел позади нас хвост огня, но то было догорающее топливо, а не взрыв самолета.

Я пытался осмыслить происходящее и понял, что наше плавное пикирование перешло в падение носом вниз. Нас с грохотом трясло, болты моего сиденья скрипели, привязные ремни врезались в грудь.

Как ни странно, это меня успокоило. Принесло не свет в конце тоннеля, который описывают люди, думавшие, что пришел их час, а просто покой.

Секунду спустя, мы приводнились с оглушительным всплеском, словно возвращающийся челнок НАСА.

Глава девяносто шестая

Удар был сокрушительным, меня швырнуло в кокпит, но у нас хватило инерции, чтобы скользить по поверхности воды еще несколько секунд. Иначе бы эффект был таким, словно мы врезались в бетон. Это и тот факт, что я столкнулся с пристегнутым телом Мейера, видимо, спасло меня.

Стараясь поверить, что все еще жив, я ощутил неладное с шеей. Пошевелил пальцами, проверяя, не парализован ли. Они еле двигались, но я понял, что причиной тому сломанное запястье. Половина приборов с приборной доски лежала на моих окровавленных коленях. Но шея была, очевидно, только вывернута, все прочее оставалось более или менее целым. Я смог пошевелить руками, потом ногами.

Горящие обломки рассеялись по темной поверхности бухты, остатки самолета быстро погружались, и вода доходила мне до лодыжек.

Потом на левом крыле полыхнула громадная оранжевая вспышка, дохнуло горячим воздухом. Черный дым с отвратительным запахом горящего пластика обжег мне лицо. Должно быть, взорвался еще один топливный бак. Пламя яростно плясало, уничтожая самолет. Через полминуты оно окутает и меня.

Мейер, пристегнутый к сиденью, был неподвижен — потерял сознание от удара или умер.

Я не собирался выяснять, что с ним.

Используя целую руку и оставшиеся силы, я вывалился в проем пассажирской двери и плюхнулся в холодную воду. Ловя ртом воздух, я заработал ногами, пытаясь отплыть как можно быстрее.

Потом я увидел сквозь дым движение в самолете — что-то бьющееся в пламени. Господи! Это был Мейер.

В горящей одежде он выкатился из того же проема и исчез под водой с шипящим всплеском.

Мейер вынырнул рядом со мной! Я отшатнулся, ударив его пинком, а он со звериным воем попытался вцепиться мне в глаза обгорелой рукой.

Потом произошло нечто странное. Меня охватила какая-то наркотическая эйфория, лицо расплылось в широкой улыбке. Я зажал его шею в замок и потащил вниз, в холодную, темную воду. Все звуки исчезли. С вновь обретенной силой я принялся душить его.

Это было восхитительно.

Ни разу в жизни я не был так целеустремлен, как в ту минуту. Я твердо знал, что эта злобная тварь, которую я держал в неразрывном захвате, кровожадный мерзавец, угрожавший моей семье и едва не убивший меня, никогда больше не ступит на землю живых. Я умирал вместе с ним, но это была лучшая из возможных смертей.

Я потерял всякое представление о времени. Понятия не имел, сколько его протекло, пока он не перестал сопротивляться. В конце концов воздух вышел у меня из легких, и я лишился сил. Но держал его до последнего мгновения, пока он не выскользнул из моих ослабевших рук.

Оставшись один, я продолжал болтаться в воде — не представлял, двигаюсь вверх или вниз, и это не имело значения. Я умирал, окоченел, слишком ослаб. Мои ноющие, горящие легкие отчаянно требовали воздуха. Через несколько секунд я буду вынужден вдохнуть холодную, соленую воду.

Но даже когда я платил эту высшую цену, покой не покидал меня.

И вдруг я увидел впереди бледное, светящееся тело, плывущее ко мне. Наверняка это было галлюцинацией. Я только что перенес травму, какую только может выдержать человек.

Тело подплывало, я смотрел на него в ужасе, пока не понял, что все в порядке.

Это была моя жена, Мейв.

Все встало на место. Она помогла мне выжить в этой катастрофе — была моим ангелом-хранителем, берегла меня так, как я молил бы ее это сделать.

Но когда я потянулся к ее светящейся руке, она печально покачала головой и исчезла.

Затем вокруг меня появились другие человеческие тела — большие, темные, материальные. Грубые руки схватили меня и сунули между зубов что-то резиновое.

С насильно открытым ртом я не мог больше сдерживать дыхания. Плотина прорвалась, и мои изголодавшиеся легкие отчаянно заработали.

Но вместо холодной воды, к чему я был готов, в них пошел чистый, свежий воздух — как я вскоре узнал, из акваланга ныряльщика береговой охраны, одного из команды, отправленной на вертолете перехватить гибнущую «сессну» и найти меня в темной бухте.

Эти герои подняли меня на поверхность, а другие вертолеты и судно, посланные береговой охраной и городскими властями, уже приближались к месту катастрофы, чтобы погасить огонь и искать уцелевших.

Уцелел, слава Богу, только я.

Однако безумные события еще не закончились. Когда ребята из береговой охраны втащили меня на палубу катера, я встал и даже попытался нырнуть обратно. Два фельдшера пристегнули меня, кричащего и брыкающегося, к носилкам.

— Расслабьтесь, детектив, — сказал один из них, пытаясь успокоить меня. — Этот летчик погиб. Все кончено.

— Черт с ним!

Горло словно разрывалось, когда я орал в полную огня темную воду:

— Мейв! Мейв!

ЭПИЛОГ
ХОККЕЙНЫЕ КЛЮШКИ

Глава девяносто седьмая

Кроме запястья, я сломал лодыжку и три ребра, пришлось залечь на неделю в больницу. Зарплаты нью-йоркского полицейского на это не хватило бы, но медицинские страховки у нас надежные.

Сбивший нас пилот истребителя «Ф-15» вечером накануне выписки пришел ко мне в палату, чтобы извиниться.

— Шутишь? — Я хлопнул по спине этого двадцативосьмилетнего парня с детским лицом. — С этим психом мне следовало вызвать удар с воздуха раньше.

Спустя месяц, почти день в день, я пришел в церковь Святого Духа, все еще на костылях. Алтарь выглядел как английский сад. Орган заиграл «Музыку на воде» Генделя — любимую вещь Мейв.

Мы решили, что служба в память о ней будет жизнеутверждающей и все такое прочее. Даже строили эту службу в день ее рождения, а не в годовщину смерти.

Тогда почему же, когда меня пронизывали печальные, нежные аккорды, каждая клетка в теле хотела зарыдать?

Я услышал, как за моей спиной кто-то откашлялся. Мой сын Брайан в белом облачении держал бронзовое распятие. Другие мальчики, прислуживавшие вместе с ним в алтаре, стояли позади него с зажженными белыми свечами.

Отец Симус, подходя, взглянул на часы.

— Если будешь так любезен... — Он пристально посмотрел на меня.

— Начну вместе с тобой, — ответил я.

— Майк, минутку, — серьезно сказал он и повел меня к алькову для крещения.

Я подумал, что знаю, какую он произнесет проповедь. Напомнит, что в прошедшем году я был настоящим негодником. Чересчур саркастичным, язвительным, ожесточенным. Старался выплеснуть гнев, снедавший меня изнутри. И будет прав. Нельзя больше быть таким злобным. Жизнь коротка. Если Учитель и преподал мне что-то, то именно это.

— Майк, послушай, — прошептал Симус, обняв меня теплой рукой. — Прошел почти год, и я очень хочу сказать, как горжусь, что ты сохранил семью. Мейв тоже гордится тобой. Я это знаю.

«Что?» — подумал я.

— А теперь иди на свое место, парень. Мне пора начинать мессу.

Я быстро прошел мимо скамей, заполненных друзьями и детьми, к первому ряду.

Крисси улыбнулась и взяла меня за руку. Теперь у нее все наладилось. В первые дни после того инцидента я не раз замечал печальное выражение на ее ангельском личике, особенно когда все они навещали меня в больнице. Но в последнее время она стала делать то, что делают дети, — двигаться вперед.

Пожалуй, я мог извлечь из этого урок.

После проповеди Джейн прочла стихотворение Анны Брэдстрит «К детям», которое нашла на сложенном листке в одной из книг Мейв по кулинарии.

— Мама учила меня тому, чему Анна Брэдстрит хотела учить своих детей, — сказала Джейн, откашлявшись. — «Что есть благо, что есть зло, / Что живет, и что прошло, / Чем спасти, и чем убить. / И порвись здесь жизни нить, / Среди вас смогу я жить, / Мертвой с вами говорить. / Что ж, прощай, моя семья. / Счастливы будьте — буду и я».

У меня больше не было сил сдерживаться. Я заплакал. И, поверьте, не только я. И крепко обнял Джейн, когда она возвращалась к своей скамье.

После этой церемонии девочки приятно удивили меня пикником в Риверсайд-парке. Я посмотрел на Гудзон и вспомнил, как видел Мейв в воде светящимся ангелом. Если это всего-навсего галлюцинация, что ж, пусть она повторится.

Но какая-то часть меня, лучшая часть, так не думала.

Когда-нибудь я увижу ее снова. Раньше я только надеялся на это, но теперь знал.

Я смотрел, как Брайан и Эдди перебрасываются футбольным мячом. Врач сказал, что перелом лодыжки не позволит мне ходить еще недели две, но что врачи понимают? Я бросил костыли, захромал к ним и принял пас. Крисси с Шоной тут же подскочили, и я позволил им остановить меня. Собралась вся моя команда. Даже Симус — он взял мяч у меня из рук, а потом весело кинул мне в грудь.

Я закрыл глаза, когда в ушах зазвучали отвратительные слова Мейера: «И это все, ради чего ты живешь? Это поднимает тебя по утрам из постели?»

«Поверь в это, сукин сын, — подумал я. — И где бы ты ни был, надеюсь, ты все еще горишь».

Глава девяносто восьмая

Когда мы вернулись к нашему дому, у входа какие-то протестующие толпились перед телекамерами и людьми с микрофонами.

Один из пикетирующих держал плакат с надписью «ПОЛИЦЕЙСКИЙ-УБИЙЦА».

Неужели кто-то возмущен, что Мейер мертв?!

Минутку. Дело ведь происходит в Нью-Йорке. Так что все возможно.

Затем на другом плакате я увидел изображение молодого негра. Под ним было написано крупными буквами: «КЕННЕТА РОБИНСОНА УБИЛИ! ДОЛОЙ ПОЛИЦИЮ!»

Я был ошеломлен. Эти люди негодовали по поводу смерти убийцы из шайки наркоторговцев в Гарлеме, случившейся лет десять назад.

Не успел я прийти в себя, как мои дети ринулись в толпу. Господи, что делают эти маленькие разбойники? Я беспомощно наблюдал, как они прорвались через ряды пикетирующих к человеку, державшему у плеча телекамеру. И гневно закричали:

— Мой папа герой!

— Лучший человек на свете!

— Мой папа замечательный! А вы точно нет!

Эдди замер на несколько секунд и выпалил:

— Засуньте хоккейные клюшки себе в задницу!

Репортеры сгрудились вокруг меня, выкрикивая вопросы. Я сохранял спокойствие и лишь качал головой. С героической помощью консьержа Ральфа я сумел загнать свою сумасшедшую команду в вестибюль.

— Ребята, вы не должны так поступать, — сказал я, но Симус, не обращая на меня внимания, пожал каждому руку.

Когда мы подошли к лифту, Ральф поспешил ко мне.

— Мистер Беннетт, пожалуйста, — взволнованно сказал он. — Журналисты говорят, что им нужно от вас заявление. Потом они уйдут.

Он явно ждал, чтобы они побыстрее ушли от его дома.

— Ладно, Ральф. Я займусь этим.

Едва я вышел из парадной двери, журналисты сунули к моему подбородку алюминиевый букет микрофонов. Я громко откашлялся.

— Хочешь не хочешь, а заявление сделать придется. Я согласен со своими детьми на сто пятьдесят процентов. Всем до свидания. И, пока не забыл, засуньте хоккейные клюшки себе в задницу.

СОДЕРЖАНИЕ

«ЗОЛОТОЙ ВЕК АНГЛИЙСКОГО ДЕТЕКТИВА»

«Золотой век английского детектива» — это любимые многими поколениями читателей произведения таких мастеров детективного жанра, как Найо Марш, Сирил Хейр, Джорджет Хейер, Энтони Беркли, Патрисия Мойес, Жаклин Уинспир и Эдмунд Криспин.

«Золотой век английского детектива» — это атмосфера деревенского домика мисс Марпл и лондонской квартиры Эркюля Пуаро, яд в дорогих конфетах и отравленное шампанское, убийства на театральной премьере и скандалы высшего общества...

Литературно-художественное издание

16+

Паттерсон Джеймс
Ледвидж Майкл

Гонка на выживание

Роман

Компьютерная верстка: М.П. Маврина
Технический редактор О.В. Панкрашина

Общероссийский классификатор продукции
ОК-005-93, том 2; 953000 — книги, брошюры

Подписано в печать 17.10.13. Формат 84x108 $^1/_{32}$.
Усл. печ. л. 16,8. Тираж 2000 экз. Заказ № 2168.

Наши электронные адреса: WWW.AST.RU
E-mail: astpub@aha.ru

ООО «Издательство АСТ»
127006, г. Москва, ул. Садовая-Триумфальная, д.16, стр.3

Отпечатано с готового оригинал-макета
в ОАО «Издательско-полиграфическое предприятие «Правда Севера».
163002, г. Архангельск, пр. Новгородский, 32.
Тел./факс (8182) 64-14-54, тел.: (8182) 65-37-65, 65-38-78, 29-20-81